LES ÉDITIONS DES INTOUCHABLES
512, boul. Saint-Joseph Est, app. 1
Montréal (Québec)
H2J 1J9
Téléphone : 514 526-0770
Télécopieur : 514 529-7780
www.lesintouchables.com

DISTRIBUTION : PROLOGUE
1650, boul. Lionel-Bertrand
Boisbriand (Québec)
J7H 1N7
Téléphone : 450 434-0306
Télécopieur : 450 434-2627

Impression : Transcontinental
Conception graphique : Mathieu Giguère, Marie Leviel
Mise en pages : Marie Leviel
Illustration de la couverture : Boris Stoilov
Direction éditoriale : Marie-Eve Jeannotte
Révision : Élyse-Andrée Héroux, Élise Bachant
Correction : Élaine Parisien

Les Éditions des Intouchables bénéficient du soutien financier du gouvernement du Québec — Programme de crédit d'impôt pour l'édition de livres — Gestion SODEC et sont inscrites au Programme de subvention globale du Conseil des Arts du Canada.

Nous reconnaissons l'aide financière du gouvernement du Canada par l'entremise du Programme d'aide au développement de l'industrie de l'édition (PADIÉ) pour nos activités d'édition.

Membre de l'Association nationale des éditeurs de livres.

Dépôt légal : 2010
Bibliothèque et Archives nationales du Québec
Bibliothèque nationale du Canada
ISBN : 978-2-89549-394-5

Emrys

Les Mondes oubliés

Dans la même série

Emrys, L'Âge d'or de Shamballa, roman, 2010.
Emrys, L'Âge d'argent d'Hyperborée, roman, 2010.

Du même éditeur

Celtina, La Terre des Promesses, roman, 2006.
Celtina, Les Treize Trésors de Celtie, roman, 2006.
Celtina, L'Épée de Nuada, roman, 2006.
Celtina, La Lance de Lug, roman, 2007.
Celtina, Les Fils de Milé, roman, 2007.
Celtina, Le Chaudron de Dagda, roman, 2007.
Celtina, La Chaussée des Géants, roman, 2008.
Celtina, La Magie des Oghams, roman, 2008.
Celtina, Le Chien de Culann, roman, 2008.
Celtina, La Pierre de Fâl, roman, 2009.
Celtina, Le Combat des arbres, roman, 2009.
Celtina, Tir na n'Og, roman, 2010.

Chez d'autres éditeurs

Mon premier livre de contes du Canada, Saint-Bruno-de-Montarville, éd. Goélette, 2010.

Mon premier livre de contes du Québec, Saint-Bruno-de-Montarville, éd. Goélette, 2009.

Le Traître des plaines d'Abraham, série Phoenix, détective du Temps, Montréal, Trécarré, 2009.

Les Pièces d'or de Nicolas Flamel, série Phoenix, détective du Temps, Montréal, Trécarré, 2007.

Le Sourire de la Joconde, série Phoenix, détective du Temps, Montréal, Trécarré, 2006.

Le Concours Top-Model, Montréal, Trécarré, 2005.

Corinne De Vailly

TOME 1
LES MONDES OUBLIÉS

LES INTOUCHABLES

« Seul le fantastique a des chances d'être vrai. »
Pierre Teilhard de Chardin

PROLOGUE

— Grrr!

La lumière crue de la lampe de poche traversa les paupières closes de l'adolescent. Il grogna et tourna son visage dans la pénombre.

— Merci, mon Dieu! Il n'est pas mort, entendit-il dans son demi-sommeil.

— Papa, vite… il faut l'aider! poursuivit une autre voix, beaucoup plus jeune et claire.

Tiens, c'est une fille! songea l'adolescent en se recroquevillant un peu plus contre le mur de grosses pierres grises, au pied de l'édifice en démolition qui lui avait offert un abri pour la nuit.

— Allez, mon garçon! Réveille-toi, reprit la première voix.

L'adolescent se sentit secoué par une main ferme, mais amicale.

— C'est étrange. Son corps est chaud… Il n'a presque rien sur le dos et, pourtant, il ne semble pas frigorifié, observa l'homme, très intrigué, à l'intention de sa fille.

— Grrr ! répéta l'adolescent une seconde fois en chassant la main d'un mouvement sec du bras.

— Hé ! Tu m'entends ?! Tu ne peux pas rester ici… en plein hiver, par un froid aussi polaire ! Allez, lève-toi !

— Śívō Rakṣatu girvāṇabhāṣarārasāsvāda-tatparān[1]…, bafouilla l'adolescent, qui semblait délirer.

— Pardon ?... Hum ! Il ne parle pas notre langue, soupira l'homme en enlevant rapidement son manteau de laine pour le déposer avec précaution sur le garçon tassé contre le ciment sale.

L'adolescent au teint sombre et aux longs cheveux noirs qui tombaient en mèches raidies sur ses épaules ne portait qu'une tunique et un pantalon de lin blancs. Il était pieds nus dans des sandales de corde.

— C'est inhumain de laisser un gamin courir les rues sans rien sur le dos ! gronda l'homme.

Le jeune sans-abri repoussa le manteau d'un geste vif.

— Oui, je parle votre langue ! Laissez-moi tranquille !

---

1   Traduction française : « Que Śiva bénisse les amateurs de la langue des dieux. » (Kālidāsa, poète et dramaturge sanskrit)

— Papa, vite, transportons-le dans la voiture, intervint la jeune fille.

— Il ne semble pas vouloir collaborer. Il vaut peut-être mieux que j'appelle les secours! fit l'homme en composant un numéro sur son appareil sans fil. Toi, apporte-moi les deux couvertures que je garde dans le coffre de la voiture.

CHAPITRE 1

Une semaine plus tard

— Alixe, Mattéo, Emrys ! À table !

Mattéo était un garçon trapu de treize ans aux cheveux châtain clair coupés court. Ses grands yeux verts pailletés d'or étaient très expressifs. Il ne semblait guère sportif, pourtant Emrys avait détecté en lui une énergie physique importante qui ne demandait qu'à s'extérioriser.

— Qu'est-ce qu'on mange ? lança Mattéo en se glissant sur sa chaise.

— Ton plat préféré : de la moussaka, répondit Mathilde, la mère de famille, tandis que l'adolescent se servait déjà généreusement.

Emrys fronça ses épais sourcils noirs avant d'énoncer :

— Moussaka, mot turc désignant un plat composé d'aubergines, de tomates, d'oignons et de…

Le garçon fit une courte pause avant de laisser tomber, avec un air de dédain :

— … viande !

— J'ai remplacé la viande par du tofu, mais chut! murmura Mathilde à l'oreille d'Emrys, tout en faisant un signe de tête en direction de Mattéo.

Il lui sourit et, galant, passa le plat à Alixe avant de faire glisser une généreuse portion du mets dans sa propre assiette.

La jeune fille de seize ans avait un visage doux encadré de cheveux en bataille châtain clair, balayés de mèches violacées. Elle était potelée, et cela lui donnait un certain charme. Dès le premier regard, elle avait plu à Emrys. Elle était éclatante de santé et son sourire clamait qu'elle était bien dans sa peau. Alixe et sa mère se ressemblaient comme deux gouttes d'eau.

— Mam', c'est pas un ado qu'on a trouvé, c'est un dictionnaire électronique, se moqua Mattéo tout en enfournant une grosse bouchée de moussaka.

Le soir de leur fameuse découverte, Arnaud Langevin et sa fille Alixe revenaient vers leur véhicule garé au fond d'un stationnement du centre-ville lorsque la jeune fille avait attiré l'attention de son père sur ce qui ressemblait à une personne recroquevillée contre un mur de béton.

Craignant le pire, car le froid était mordant pour ce mois de décembre, le père s'était approché pour vérifier si la forme allongée était effectivement humaine ou constituée de débris de construction. Sa surprise avait été totale en découvrant un adolescent qui dormait sans avoir l'air d'être incommodé par la basse température, même s'il ne portait presque rien sur lui.

Les policiers et les ambulanciers rapidement dépêchés sur les lieux avaient conduit l'adolescent aux urgences. Après l'avoir gardé sous observation pendant vingt-quatre heures, les autorités médicales avaient jugé qu'il se portait assez bien pour quitter l'hôpital. Pendant cette interminable journée, les Langevin étaient demeurés à son chevet. Les paroles que le jeune sans-abri avait échangées avec tout un chacun avaient permis de déduire qu'il ne connaissait personne en ville. On crut d'abord avoir affaire à un fugueur, mais son signalement ne correspondait à aucun des quelques jeunes recherchés à ce moment-là. Les Langevin avaient donc proposé aux autorités de l'héberger, le temps que les enquêteurs déterminent d'où il venait, ou qu'il accepte de le leur dire lui-même. Pour le moment, il ne leur avait révélé que son étrange prénom : Emrys.

Intrigués, Alixe et Mattéo avaient fait quelques recherches sur Internet pour découvrir que c'était un prénom grec signifiant « immortel », et qu'il était employé dans ce même sens par les Gallois pour désigner Merlin l'Enchanteur. Assurément, les parents de ce jeune homme avaient fait preuve d'une «sacrée dose d'imagination»..., s'était exclamé Mattéo.

Ψ

Après le repas, Arnaud et Mathilde Langevin déclinèrent l'offre des adolescents de les aider à mettre de l'ordre dans la cuisine. Mattéo et Alixe, qui se faisaient régulièrement reprocher de ne guère participer aux tâches ménagères, ouvrirent des yeux grands comme des soucoupes, puis tournèrent rapidement les talons, mine de rien.

— Viens, Emrys! Ils veulent rester entre eux pour discuter…, fit Mattéo en se hâtant de monter les premières marches de l'escalier qui conduisait vers les chambres.

Le garçon n'avait qu'une crainte: que ses parents changent d'avis et les rappellent pour qu'ils débarrassent la table.

Les trois ados se retirèrent donc dans la chambre de Mattéo: un capharnaüm indescriptible où des vêtements, des livres scolaires et d'autres portant sur les arts martiaux jonchaient le sol. Aux murs pendaient lamentablement des affiches représentant des athlètes olympiques de judo, encadrant la réplique d'un katana* suspendue de travers. Emrys jeta un œil attentif sur deux parchemins de papier de riz, sous verre. Sur le premier était dessiné le prénom de Mattéo en caractères chinois, et sur l'autre, il put lire une citation du philosophe chinois Lao Tseu. Emrys déchiffra facilement les idéogrammes ; le mandarin était l'une des langues qu'il maîtrisait à la perfection. La phrase disait : « Être conscient de la difficulté permet de l'éviter. » Emrys sourit. Cette maxime reflétait parfaitement ce qu'il avait pu percevoir du caractère de Mattéo.

Pendant ce temps, dans la cuisine, Arnaud et Mathilde avaient entrepris de faire la vaisselle en discutant.

— Chut ! fit Mattéo lorsque sa sœur referma la porte derrière eux. Allume l'ordi…, ordonna-t-il à Alixe.

Celle-ci lui adressa un coup d'œil furibond. En tant qu'aînée, elle n'aimait pas trop que son jeune frère lui donne des ordres. Mais elle n'eut pas le temps de protester ; intriguée, elle vit Mattéo soulever un carré de marqueterie à l'aide d'un coupe-papier ramassé sur sa table de chevet.

— Qu'est-ce que tu fais ? murmura-t-elle, contrariée.

Son frère lui imposa le silence d'un signe de la main et retira la pièce de marqueterie.

Alixe et Emrys s'approchèrent. Sous les lames s'ouvrait un trou de quelques centimètres carrés dans le plancher de bois, juste au-dessus des armoires de la cuisine. De là, Mattéo avait une vue en biais sur la pièce où ses parents étaient toujours à l'œuvre. Mais ce n'était pas tant de voir qui le préoccupait. Il était surtout intéressé par ce qu'il pouvait entendre.

— Ah! tu les espionnes?! fit Alixe, déstabilisée.

Elle était presque fâchée de découvrir que son frère pouvait aussi facilement surprendre les propos de leurs parents. En son for intérieur, elle se dit que ce n'était pas loyal. Cela procurait un avantage à Mattéo lorsqu'il avait une faveur ou une permission à demander. En écoutant discrètement leurs parents, son jeune frère pouvait connaître leur état d'esprit du moment.

— Arrête de râler… Je ne les espionne pas. Ça fait même des mois que je n'ai pas jeté un coup d'œil dans le trou, répliqua Mattéo, qui se sentit néanmoins rougir jusqu'au bout des oreilles.

Heureusement, quelques mots prononcés à l'étage du dessous le tirèrent d'embarras et, surtout, lui évitèrent une bonne explication avec sa sœur aînée. À l'air de celle-ci, il comprit cependant que ce n'était que partie remise. Il imposa de nouveau le silence au duo qui l'accompagnait.

— Chut !

— L'APDDE a appelé…, disait Mathilde en terminant de laver la vaisselle que son mari essuyait au fur et à mesure.

Mattéo se hâta aussitôt de répéter ces propos à voix basse. Puis, se tournant vers Emrys, il vit à son visage impassible que le garçon ne comprenait pas ou n'avait pas entendu.

— Ils parlent de l'Association de protection et de défense des droits des enfants…, souffla-t-il.

— Qu'est-ce qu'ils ont dit ? demanda Arnaud à son épouse.

Dans la pièce au-dessus et avec beaucoup de synchronisation, Alixe posa la même question à son frère.

— Qu'il n'y a pas de place pour le moment…, répondit Mathilde en affichant un sourire lumineux. Comme personne ne sait d'où il vient ni qui est sa famille, on nous propose de le garder ici en attendant.

Mattéo retransmit avec empressement tout ce qu'il entendait, mot pour mot.

— Il sera toujours mieux ici que dans un foyer pour adolescents, confirma Arnaud.

Il se hissa sur la pointe des pieds pour aller percher sur la dernière tablette du placard le plat de pyrex qui avait servi à cuire la moussaka. Mattéo se projeta en arrière. Un instant, son regard avait accroché celui de son père. Craignant de voir son secret percé, l'adolescent se dépêcha de remettre en place le carré de placoplâtre blanc qui bouchait le trou, et redisposa avec habileté les lames de marqueterie par-dessus. Ni vu ni connu. Puis, il décocha un grand coup de coude à Emrys et lui sourit.

— Alors, comme ça, t'es mon nouveau frangin ! C'est génial, non ?

— Oui… euh… super *cool* ! répondit Emrys, qui n'y comprenait rien.

— *Cool* ? ! s'exclama Mattéo. Mais t'es dépassé, mon vieux. Je ne sais pas d'où tu sors, mais ici, ça fait longtemps qu'on ne dit plus ça… Pfff, va falloir que je fasse ton éducation.

$$\Psi$$

L'éducation d'Emrys commença, comme il se doit, à l'école secondaire. Les premiers jours, tout étonné de se retrouver là, l'adolescent se fit plutôt discret. Mais au fur et à mesure que la première semaine s'écoulait, il prit de l'assurance. Celle-ci se manifesta d'ailleurs pour la première fois pendant un cours de sciences. Au grand étonnement de toute la

classe et de son « frère » Mattéo, Emrys interrompit l'exposé du professeur pour souligner
une erreur dans la présentation d'un sujet lié
à l'atome.

— Puisque vous semblez vous y connaître,
répliqua avec ironie monsieur Malo, le professeur, vous serez sans doute heureux de faire
profiter chacun d'entre nous de votre immense
savoir, monsieur, euh…

Il s'interrompit, car aucun nom de famille
n'avait été ajouté à la fiche de présentation
de l'adolescent. Ne sachant que dire, il laissa
tomber :

— … Langevin.

Emrys repoussa sa chaise. D'un pas assuré,
il se dirigea vers le grand écran plasma tactile
qui servait de tableau. Il s'empara d'un crayon
numérique et, d'une voix ferme, se mit à décrire
en détail des schémas et signes mathématiques
complexes qu'il traçait à grands traits sur le
fond bleu nuit de l'écran.

Certains élèves se poussèrent du coude en
ricanant, d'autres, comme Mattéo, étaient trop
ébahis pour même songer à sourire. Tout au
fond de la classe, Max Ankel, un colosse aux
cheveux roux qui faisait régner la terreur parmi
les jeunes de l'école, plissa les paupières sur ses
profonds yeux noirs. Puis, ses lèvres s'étirèrent
en un rictus qui n'augurait rien de bon. Quant

au professeur, il eut peine à suivre le raisonnement d'Emrys tant ce dernier s'était lancé dans une démonstration endiablée… « Endiablée, mais juste ! » dut néanmoins reconnaître l'enseignant.

Au terme de son exposé, Emrys reposa le crayon numérique et retourna tout naturellement à sa place sans se rendre compte que ses compagnons le dévisageaient, surtout Max Ankel qui le fixait d'un œil mauvais.

Figé de stupeur devant l'écran, le professeur se demanda comment un adolescent de quatorze ans pouvait posséder des connaissances physiques, mathématiques et chimiques aussi poussées, alors que lui-même ne les avait acquises qu'à l'université. Avait-il affaire à un prodige, à un futur Einstein ?

— Hé, le génie ! s'écria Ankel, comme en écho aux pensées de l'enseignant.

— Pitié, ne réponds pas ! murmura Mattéo à l'intention de son ami qui, déjà, amorçait un mouvement pour se retourner vers le fond de la classe.

Malgré l'avertissement, Emrys pivota sur lui-même. Ses yeux sombres rencontrèrent ceux, noir charbon, du colosse. Les deux garçons se défièrent en silence pendant un moment qui sembla durer une éternité à Mattéo. Il craignait plus que tout ce Max Ankel, lui aussi un nouveau venu dans l'établissement scolaire, mais qui était rapidement devenu le caïd de l'école.

Supérieur aux autres adolescents en taille et en force, Ankel s'était imposé par sa brusquerie. Et pourtant, ce n'était pas qu'une sombre brute. Loin de là. Il obtenait même de très bons résultats scolaires qui le plaçaient parmi les meilleurs. Mais plus que ses bonnes notes, c'était surtout son comportement qui inspirait le respect. Il ne supportait pas d'être contrarié, et encore moins qu'un autre adolescent lui semble supérieur. Dès les premiers jours, Mattéo avait recommandé à Emrys d'éviter le garçon, d'autant plus que ce dernier ne lui accordait aucune attention. Mattéo savait qu'Emrys se mettait les pieds dans les plats en défiant le colosse.

Pendant tout l'échange silencieux, qui ne dura pourtant que quelques petites secondes, Mattéo garda le regard fixé sur Emrys. Tout à coup, il crut lire, sur les lèvres de son nouvel ami, un mot à peine esquissé : « Dâsa. »

— Dâsa ? Qu'est-ce que ça veut dire ? chuchota-t-il.

La voix de Mattéo tira Emrys de sa fixité. Il reporta son attention sur son voisin de pupitre, mais sans lui répondre.

— S'il vous plaît ! intervint alors monsieur Malo pour capter l'intérêt des jeunes, avant de s'adresser plus particulièrement à Emrys : Monsieur… euh… Langevin, vous me semblez très en avance sur notre programme. Je vous demanderai donc d'agir comme mentor auprès de Mattéo qui a quelques difficultés avec la matière que nous étudions. Vous lui serez d'un grand secours…

Le visage de Mattéo s'éclaira. Il était sur le point d'échouer ce cours. L'aide d'Emrys ne lui serait certes pas inutile.

— Oui, monsieur ! acquiesça Emrys, tout en sentant le regard de Max Ankel vriller son dos, entre ses omoplates.

La sonnerie annonçant la fin du cours vint interrompre les hostilités. Les cours suivants se déroulèrent sans incident particulier, mais Mattéo demeura extrêmement inquiet. Toute la journée, il craignit de tomber face à face avec Max Ankel.

Pour sa part, Emrys, retrouvant sa discrétion naturelle, écouta en silence les discussions des étudiants, ne souhaitant pas se mêler aux ragots ni colporter les rumeurs. Il se tenait sagement à l'écart de toute polémique.

Son allure distinguée et racée lui attirait les regards de la gent féminine, mais cela non plus, il ne semblait pas le remarquer. Mattéo lui enviait cette sorte de détachement, lui qui se savait plutôt timide avec les filles. Ses cheveux châtains, ses yeux verts pailletés d'or et son apparence costaude lui valaient bien quelques coups d'œil, mais rien de comparable aux œillades admiratives que déclenchait Emrys sur son passage. Le magnétisme du bel adolescent était presque palpable, lui avait même confié Alixe qui, elle non plus, n'avait pas tardé à succomber à son charme. Même si la jeune fille voulait considérer Emrys comme son frère, elle n'était pas insensible à ses grands yeux noirs, à sa chevelure de jais, à son teint éternellement hâlé, à ses belles dents blanches parfaitement alignées, à sa taille fine et déliée. Mattéo avait dû en convenir : en plus d'être doté d'une redoutable intelligence, Emrys était extrêmement beau. Et l'énigme concernant ses origines ajoutait encore à l'aura de mystère qui planait autour de lui.

CHAPITRE 2

Chaudement emmitouflés dans d'épais manteaux, Mattéo et Emrys se hâtaient vers la résidence des Langevin. Leur haleine qui filtrait à travers leur foulard de laine se transformait en givre au contact du froid mordant. Les cheveux couleur corbeau d'Emrys s'ornaient de petits glaçons qui pendouillaient devant ses yeux larmoyants.

— J'ai l'impression d'avoir les yeux qui gèlent, confia-t-il à son compagnon.

— Ça fait longtemps qu'il n'a pas fait aussi froid, confirma Mattéo. Et dire qu'il y en a qui parlent de réchauffement climatique… C'est facile quand on est assis dans un chaud et confortable laboratoire…

— Ne te moque pas, Mattéo ! l'interrompit abruptement Emrys. Les chercheurs ont raison. Les changements climatiques, ça existe. Par exemple, si le Gulf Stream change de trajectoire…

— Ah non ! Je t'arrête tout de suite ! protesta Mattéo. On vient de quitter l'école. Je ne veux pas, en plus, d'une autre leçon de… de… de météo sur le chemin du retour.

Emrys se tut. Il avait remarqué qu'il avait tendance à faire preuve de trop de sérieux dans ses échanges avec Mattéo. Son nouveau « frère », comme beaucoup de préadolescents, avait des préoccupations un peu moins terre à terre. Mattéo était somme toute un bon élève, mais sa concentration sur ses études s'arrêtait aux portes de l'école, lorsque celles-ci se refermaient en fin d'après-midi. Lorsqu'il quittait l'établissement scolaire, Mattéo ne pensait plus qu'à s'amuser.

Emrys avait été placé dans la même classe que Mattéo, puisque, ignorant son niveau de connaissances et de compétences, la direction de l'établissement avait préféré lui faire suivre les cours d'un niveau inférieur, quitte à l'en faire changer un peu plus tard. Depuis son arrivée à l'école, Emrys s'interrogeait sur la présence de Max Ankel dans son groupe. Il pensait avoir reconnu un Dâsa en cet adolescent à la carrure phénoménale pour son âge. *Ou plutôt, son prétendu âge*, songea-t-il. Mais peut-être qu'il se trompait.

— On va couper à travers le parc, fit Mattéo en enjambant un amas de neige qui s'était accumulé sous l'action du vent.

Perdu dans ses pensées, Emrys le suivit sans prêter attention à ce qui se déroulait autour de lui. Il n'avait pas remarqué Max Ankel qui les suivait à peu de distance. Pourtant, ce dernier n'était pas particulièrement discret : il était enveloppé dans un grand manteau rouge, qui le couvrait cependant suffisamment pour le rendre méconnaissable. Par ailleurs, Emrys avait baissé sa garde et n'était donc pas spécialement à l'affût de présences indésirables dans son environnement.

Les deux garçons peinèrent pendant de longues minutes dans une bonne épaisseur de neige avant de rejoindre enfin un chemin tracé par les centaines de pas d'autres passants qui avaient suivi le même trajet avant eux.

— C'est quoi, Dâsa ? demanda Mattéo à brûle-pourpoint, sans se retourner vers son ami qui le suivait.

Cette question n'avait cessé de le tracasser depuis le cours de sciences de la fin de la matinée. Il n'avait jamais entendu ce mot auparavant.

— Les Dâsas sont les ennemis héréditaires des Aryas, répondit simplement Emrys.

Mattéo s'arrêta brusquement et Emrys le heurta par-derrière.

— Tu réponds à une énigme par une autre énigme, répliqua Mattéo. Dâsas, Aryas, ça ne me dit rien. Explique-toi !

— Je ne suis pas sûr que tu comprendrais…

— C'est ça, tu me prends pour un imbécile !

Emrys ne saisit pas pourquoi Mattéo réagissait si brutalement.

— Je l'ai bien vu pendant le cours de sciences, tu prenais un malin plaisir à jouer au professeur, reprit Mattéo. Tu es plus intelligent que nous tous et tu veux nous le montrer…

Surpris par cet accès de colère inexplicable, Emrys ne répondit rien. Interprétant son silence comme un affront de plus, Mattéo se remit en marche en accélérant le pas et en grommelant dans son foulard. Il dérapa plusieurs fois et se rattrapa de justesse à une branche basse lorsqu'il déboucha, de l'autre côté du parc, sur un trottoir fraîchement déneigé, mais pas encore déglacé.

— Il n'y a pas de mystère, fit Emrys en accélérant pour se maintenir à sa hauteur.

— Pas de mystère ! Tu te moques de qui, là ? Je te rappelle que mon père t'a trouvé quasiment tout nu dans un stationnement… Que tu parles une langue étrangère dans ton sommeil. En fait, tu sembles parler plusieurs langues. La prof d'anglais dit que tu t'exprimes comme un Britannique, mais que tu peux prendre les accents que tu veux… aussi bien celui du Texas que d'Australie. Tu parles français comme un Parisien, un Suisse, un Belge ou un Québécois, selon ton bon vouloir. Tu es imbattable en mathématiques, en chimie et en physique, selon monsieur Malo. T'es bon dans toutes les matières… Plus que bon, même! T'es un surdoué! Et tu dis qu'il n'y a pas de mystère… J'ai l'impression que tu te paies ma tête!

Emrys baissa les yeux et fixa le bout de ses bottes qui disparaissaient sous une fine couche de neige. Il se demanda s'il n'était pas temps de révéler à sa nouvelle famille la vérité sur ses origines.

— C'est vrai… Vous avez droit à une explication, soupira-t-il enfin. Mais j'ai peur que vous ne me croyiez pas… C'est tellement, tellement…

— Incroyable? termina Mattéo en dévisageant son compagnon.

— Je dirais plutôt fantastique…, le corrigea Emrys en esquissant une légère grimace.

Mattéo ralentit le pas.

— Vas-y, commence!

— Eh bien… chez moi, les Dâsas sont aussi appelés les Ténébreux. Ce sont des êtres sans foi ni loi, et surtout sans scrupules. De vrais voyous. Ils vivent de pillage et sèment la terreur…

— C'est où, chez toi? l'interrompit Mattéo.

— Ça s'appelle le Gondwana.

— Gondwana? C'est en Afrique, ça, non?

— Non. Écoute… c'est difficile à croire, mais le Gondwana, à l'heure actuelle, eh bien, ça n'existe plus !

— Ah ! fit Mattéo. Donc, ton pays n'existe plus… Il y a eu la guerre, il a été annexé par un autre ? T'es un réfugié, alors.

— C'est un peu plus compliqué ! Le Gondwana, on peut dire que ça correspond à une partie de l'hémisphère sud : l'Afrique, l'Amérique du Sud, l'Inde, l'Australie, l'Antarctique… Tu me suis ?

— Ouais !…, lâcha Mattéo, pas du tout sûr de lui.

Il ne voulait pas l'avouer, mais en fait, il n'y comprenait rien. Il ne voyait surtout pas comment Emrys pouvait venir d'un pays qui se trouvait à la fois en Afrique, en Amérique du Sud, en Inde, en Australie et en Antarctique…

C'est du grand n'importe quoi ! se dit-il, vexé que son ami profite de son manque de connaissances en géographie pour se moquer de lui.

Poursuivant ses explications, Emrys n'avait pas pris garde à l'air renfrogné de Mattéo.

— On l'appelle aussi le supercontinent…

Il me charrie. Je suis peut-être nul en géographie, mais je connais quand même les continents… et je sais qu'il n'y en a pas un seul qui porte ce nom, songea Mattéo, qui sentait des larmes lui piquer les yeux à cause du froid.

— Tiens, nous voilà arrivés à la maison! s'écria-t-il dès qu'ils eurent atteint le coin de la rue.

Il s'élança en courant, ouvrit la porte à la volée et ne la retint pas lorsqu'elle se referma sur Emrys qui le suivait de près. Il la reçut presque en plein visage. Enlevant ses bottes sans même prendre le temps d'en descendre la fermeture éclair, Mattéo jeta son manteau sur le banc de l'entrée et grimpa deux par deux les marches qui menaient à sa chambre. Emrys était en train de défaire ses lacets lorsqu'il entendit la porte claquer à l'étage.

— Je savais bien qu'il ne me croirait jamais! soupira l'adolescent en ramassant la parka de son ami pour la ranger dans la penderie de l'entrée avec celle que ses nouveaux parents lui avaient achetée.

— Salut, l'interpella Alixe à partir de la cuisine où elle faisait chauffer une tasse de chocolat. T'en veux une?

Emrys vint la rejoindre. Elle remarqua aussitôt qu'il faisait une drôle de tête.

— Tu t'es disputé avec Mattéo? demanda-t-elle en versant du lait dans une tasse qu'elle déposa dans le four à micro-ondes.

— Non. Je crois qu'il me prend pour un menteur…

— Oh! Mais pourquoi? Que s'est-il passé?

— Si je te le dis, toi aussi, tu vas croire que je mens…

— Essaie toujours! l'encouragea-t-elle avec un splendide sourire qui faisait danser les paillettes d'or de ses yeux verts, exactement les mêmes que ceux de son frère, un héritage de leur mère, Mathilde.

— Prépare une autre tasse de chocolat et allons rejoindre Mattéo. J'ai des choses importante à vous dire…, laissa finalement tomber Emrys.

À son ton solennel, Alixe comprit qu'il était tout à fait sérieux. Elle avait hâte d'entendre les propos qui avaient mis son frère dans un tel état.

$$\Psi$$

— Mattéo, dans le parc, je t'ai dit que je venais du Gondwana, et tu as cru que je me moquais de toi. C'est faux. Je suis tout à fait sérieux.

Alixe fronça les sourcils et s'assit en tailleur sur le lit de son frère. Elle se fit la remarque que ce dernier n'avait même pas pris le temps de le faire avant de partir en classe. Elle soupira en songeant que le jeune garçon était de plus en plus désordonné.

Mattéo, boudeur, était installé à sa table de travail, le regard fixé sur son écran. Il leur tournait obstinément le dos et faisait mine d'être absorbé par une recherche sur Internet.

— Ne me prends pas pour un imbécile ! cria-t-il soudain en frappant du doigt l'écran de l'ordinateur et en martelant ses mots. Lis, là… J'ai fait une recherche sur la Toile. Le Gondwana, ça n'existe plus depuis des millions d'années…

Emrys s'approcha de lui et posa sa main sur son épaule.

— Calme-toi et laisse-moi t'expliquer !

S'adressant à ses deux amis, il ajouta :

— Mes propos vont sans doute vous paraître très étranges, mais je vous en prie, écoutez-moi jusqu'au bout. Ensuite, je répondrai à vos questions.

Un grand calme se dégageait d'Emrys. Sa voix douce et profonde inspirait la confiance. Alixe le regardait intensément, hypnotisée, totalement envoûtée par la sincérité qui se dégageait de ce bel adolescent qui n'avait que deux ans de moins qu'elle.

Emrys prit une profonde inspiration et commença alors à raconter une histoire incroyable.

— Eh bien, voilà, je suis un Arya. Dans ma langue, ce mot veut dire « noble », dans le sens de « sage, savant ». Je fais partie de la caste des

Savants du Gondwana. De toute éternité, nous sommes chargés de protéger les connaissances et les savoirs du monde. Mattéo, tout à l'heure, je t'ai parlé des Dâsas, les Ténébreux, qui n'ont d'autres maîtres que leur cupidité, leur envie et leur prospérité. Ils ne se soucient que d'eux-mêmes. Ce sont nos ennemis. Ils cherchent à nous nuire par tous les moyens.

Presque malgré lui, Mattéo hocha la tête et pivota vers Emrys. La voix fascinante de son ami, plus encore que ses paroles insolites, le forçait à lui accorder toute son attention.

— Tu as raison dans un certain sens, Mattéo. Le Gondwana n'existe plus.

— Ah, je le savais ! souffla l'adolescent, presque soulagé.

Mais Emrys ne lui laissa pas le loisir de l'interrompre plus avant. Il poursuivit sans s'occuper de la remarque de son ami.

— Il a bel et bien existé pourtant, dans des temps très anciens. C'était un paradis sur terre. Certains endroits tropicaux de l'hémisphère sud actuel en sont les vestiges. Des pays qui se nomment aujourd'hui Bornéo, Brunéi, Nouvelle-Calédonie, Nouvelle-Guinée, Nouvelle-Zélande, Australie, Madagascar, et j'en passe. On y trouvait d'immenses jungles remplies de plantes géantes, de fougères arborescentes ; des cascades d'eau claire et pure ; des concrétions de sable rose ; des hautes falaises auréolées de brume. Y vivaient une faune et une flore fabuleuses qui ont aujourd'hui disparu. Certains spécimens ont cependant survécu et sont encore observables de nos jours, par exemple dans les mers : les nautiles, les cœlacanthes, et certains poissons aux couleurs flamboyantes. Dans les airs s'ébattaient les ancêtres d'oiseaux actuels comme le cagou, le kiwi, et même le gigantesque moa, disparu au début du XXe siècle ; sans compter d'innombrables espèces de lézards, des grenouilles rouges ou bleues, parfois fluorescentes, des mammifères, comme les merveilleux lémurs, et des plantes, bien entendu, aux pouvoirs médicinaux reconnus, comme le ginkgo biloba, des fleurs sublimes, des orchidées d'une beauté à couper le souffle survolées par des libellules géantes… Dans les abysses, on trouvait aussi des minéraux rares, notamment les fameux nodules polymétalliques*…

Alixe écarquilla les yeux. Elle n'avait jamais entendu parler de nodules polymétalliques et se demanda ce que c'était, mais n'osait pas interrompre Emrys pour l'interroger.

— Un véritable paradis, je vous le jure !

La nostalgie d'Emrys était presque palpable. *Ses pensées l'ont ramené là-bas*, songea Alixe en le dévisageant tendrement. *Ou alors, il est tellement convaincu de la véracité de son histoire que c'est comme s'il avait vraiment vécu dans ce monde disparu…*

— Mais ce que je ne comprends pas, c'est… Il y avait des êtres humains dans ton paradis ? demanda Mattéo, captivé malgré lui par la description féerique de son nouvel ami.

— Oui. Nous, les Aryas, étions un peuple de savants. Nous étions les Gardiens des secrets de la vie.

— Et les Dâsas ? s'enquit Alixe, intriguée.

— Les Ténébreux sont apparus bien plus tard…

— Apparus ? insista-t-elle.

Elle était d'une nature plutôt sceptique et, à ses yeux, l'histoire d'Emrys était un beau conte que l'adolescent, très doué, inventait au fur et à mesure pour les distraire.

— Après que les Aryas eurent vaincu les Géants…

— Oh, une minute ! Là, je ne marche plus ! Les dinosaures, d'accord ! Mais les géants, les ogres, on trouve ça dans les livres pour enfants… Ça n'existe pas ! Ça n'a jamais existé, fit Mattéo en insistant particulièrement sur le mot «jamais».

Emrys dévisagea le frère et la sœur l'un après l'autre. Aux mimiques de leurs visages et aux gesticulations qui les accompagnaient, il comprit que ses deux amis ne le croyaient pas. Une lueur de tristesse traversa furtivement ses grands yeux couleur charbon.

— Je vous jure que c'est vrai! s'exclama-t-il d'une voix chargée d'émotion. Leurs chefs s'appelaient Antée, Anak, Og, Talmaï… Ils mesuraient un peu plus de trois mètres de haut. Ils étaient équipés d'armes redoutables et ils disposaient de véhicules de guerre plus puissants que ceux dont sont équipées les armées modernes…

Mattéo soupira en échangeant avec Alixe des regards remplis d'ironie.

— OK. Je me rends. Tu t'es assez payé ma tête! lança-t-il en éclatant de rire. J'avoue que tu es doué pour détendre l'atmosphère. Tu seras sans doute un excellent conteur ou un écrivain renommé plus tard. Mais pour le moment, il est temps de faire nos devoirs. Je ne veux pas avoir à m'en inquiéter toute la fin de semaine. Je compte sur toi pour m'aider en sciences, comme te l'a demandé monsieur Malo.

— Je me doutais bien que vous ne me croiriez pas! Que faire pour vous convaincre? soupira Emrys en s'asseyant près d'Alixe sur le lit.

Il semblait véritablement anéanti. La jeune fille lui entoura les épaules d'un bras amical.

— Ne t'inquiète pas ! C'est une belle histoire fantastique… Je te conseille même de l'écrire et de l'enrichir. Qui sait, peut-être trouveras-tu un éditeur pour la publier…

Emrys se dégagea vivement. Des larmes inondaient ses grands yeux sombres. L'adolescent se sentait dépassé par ses émotions. Depuis qu'il était arrivé chez les Langevin, il était à fleur de peau, ce qui ne lui était jamais arrivé auparavant. Malgré toutes ses connaissances et sa grande intelligence, le domaine des émotions était une terre inconnue pour lui. Il n'avait pas encore appris à maîtriser les sentiments qui animaient son cœur et ses pensées.

— Vous ne comprenez pas ! Je n'invente rien ! C'est la vérité… et j'ai besoin de vous. J'ai besoin de votre aide… Le temps de la Révélation est arrivé. Nous sommes venus parmi vous pour divulguer les savoirs perdus…

Emrys se leva vivement et quitta la pièce à grandes enjambées. Mattéo et Alixe entendirent claquer la porte de la chambre d'amis, que leurs parents avaient mise à sa disposition.

CHAPITRE 3

Le lendemain matin, des bruits insolites montant du rez-de-chaussée réveillèrent Mattéo au lever du soleil. En toute hâte, il enfila sa robe de chambre et se précipita dans l'escalier qui menait à l'étage inférieur. Se déplaçant avec rapidité, il prit néanmoins soin d'éviter deux marches qui avaient une fâcheuse tendance à craquer quand ce n'était pas le moment.

Passant la tête par-dessus la rampe, il aperçut Emrys, en pyjama, en train de courir sur le tapis d'exercice de son père, dans la salle que ce dernier avait aménagée à cette fin. Mattéo avala sa salive. Son ami courait à une vitesse qu'il jugea phénoménale ; lui qui n'était pas précisément sportif en demeura interloqué. Même s'il n'y connaissait rien, il voyait très bien que l'adolescent courait plus vite que son père, un homme en très grande forme, qui s'entraînait depuis des années.

Mattéo descendit une marche de plus, et… elle craqua sous son poids. Il avait oublié que le bois de l'avant-dernier degré était fendu lui aussi.

Tous les sens en alerte, Emrys tourna la tête vers lui et aussitôt ralentit sa cadence, comme s'il ne voulait pas que Mattéo se rende compte de sa vitesse. L'air ahuri de son ami lui fit cependant comprendre qu'il était trop tard.

— Je te cède la place ! fit Emrys en arrêtant la machine.

Pas une goutte de sueur ne mouille son front ! remarqua Mattéo en lui-même. *C'est clairement anormal. Il commence à me faire un peu peur, ce gars-là !*

— Non… je n'aime pas les machines ! fut tout ce que Mattéo trouva à répondre.

Puis, il se dirigea vers la cuisine. Puisqu'il était levé, autant préparer le petit-déjeuner pour toute la famille. Mathilde arriva, elle aussi dérangée par les bruits venus du rez-de-chaussée. Les paupières tout alourdies de sommeil, elle laissa éclater sa mauvaise humeur.

— Déjà debout, les garçons ? Je vous signale que c'est samedi aujourd'hui et que j'aurais apprécié quelques heures de sommeil de plus.

— Désolé ! répondirent en chœur les deux adolescents, sans toutefois échanger un seul regard.

— Que se passe-t-il ici? demanda Arnaud, descendant à son tour. Une rencontre au sommet à six heures et demie du matin?... Alixe n'est pas là?

— Si... si! Me voilà! répondit la jeune fille en faisant son apparition, à moitié endormie. C'est quoi, ce remue-ménage? Il se passe quelque chose de grave?

— J'aimerais bien le savoir..., grommela Arnaud en s'emparant de la cafetière que Mattéo avait mise en marche et qui avait à peine commencé à infuser la mixture qu'il appréciait tant.

Mattéo se tourna vers Emrys sans prononcer un mot.

— Désolé de vous avoir réveillés. Comme je n'arrivais plus à dormir, je suis descendu pour faire un peu d'exercice.

D'un geste, il désigna la pièce contiguë qui servait de salle d'entraînement à Arnaud.

— Je n'ai pas demandé la permission, je...

— Mais non, mais non! Tu peux t'en servir. Il n'y a pas de problème. Si seulement tu pouvais inciter Mattéo à faire comme toi..., soupira Arnaud en passant les assiettes à Alixe pour qu'elle les dispose sur la table.

Mattéo murmura quelque chose à propos de judo, mais personne ne releva.

— Bon, eh bien, moi, je retourne au lit, marmonna Mathilde en resserrant les pans de sa robe de chambre autour d'elle. Toute la semaine, je me lève aux aurores, et j'aimerais bien profiter de mes week-ends pour me reposer.

Elle tourna les talons et ils l'entendirent monter l'escalier dont trois marches craquèrent.

Les adolescents s'installèrent autour de la table et mangèrent en silence. Chacun était perdu dans ses pensées.

— Vous n'êtes pas très loquaces ce matin, fit Arnaud en avalant ses tartines.

— Hum ! firent les trois jeunes.

— Si vous avez besoin de quoi que ce soit, je serai à côté, déclara Arnaud en se levant.

Il prit une bouteille d'eau dans le réfrigérateur, puis se dirigea vers la salle d'exercice. Bientôt les jeunes l'entendirent ahaner sur son tapis roulant.

— Qu'est-ce qui se passe ? demanda Alixe en fixant son frère et Emrys.

— Rien ! répondirent, trop vite, les deux garçons.

— Je ne vous crois pas ! Allez, videz votre sac ! insista la jeune fille en dégustant son jus d'orange à petites gorgées.

— Emrys était en train de courir sur le tapis de papa… de courir très vite ! précisa Mattéo en fixant son ami.

— Oui… et alors ?

— Tu ne comprends pas ! Il allait vraiment vite… très, très vite ! À une vitesse anormale pour quelqu'un de son âge…

Alixe tourna ses beaux yeux verts vers l'objet de leur discussion, dont le visage n'exprimait rien, aucune émotion.

— Bon, d'accord ! Je veux bien envisager de commencer à croire ce que tu nous as dit hier…, reprit Alixe. Mais tu dois nous en révéler plus. Qui es-tu ? D'où viens-tu ? D'une autre planète ?

En entendant ces mots, Emrys éclata d'un rire franc.

— C'est vrai qu'on nous a parfois appelés les Enfants des Étoiles, mais ce n'est pas parce que nous venons de Vénus, de Sirius ou de je ne sais trop quelle exoplanète… Non, je suis bien d'ici. De cette bonne vieille Terre.

— Bon, voilà que ça le reprend…, soupira Mattéo. OK, vas-y ! T'as travaillé un peu du ciboulot cette nuit et t'es prêt à poursuivre ta fable. On t'écoute… vu qu'on n'a pas le choix, hein ? T'as décidé de nous prendre pour cobayes pour tester tes contes ?

Alixe adressa un regard de reproche à son frère et, d'un sourire, encouragea Emrys à poursuivre.

— Au Gondwana, il n'y avait que quelques postes avancés, pas de véritables villes. En fait, la plupart des Aryas n'avaient pas de demeure fixe. Nous étions nomades, si vous voulez. Comme la température était clémente de nuit comme de jour, nous vivions presque toujours à l'extérieur et nous avions perpétuellement sous les yeux le spectacle du ciel. Nous avions constamment la tête tournée vers le firmament et ses feux mystérieux, que nous avions baptisés les Resplendissants.

— Presque toujours? fit Alixe.

— En cas de trop forte pluie, on se réfugiait dans des grottes.

— Ha! ha! Tu m'étonnes! ricana Mattéo.

Mais ni Emrys ni Alixe ne lui accordèrent la moindre attention.

— Donc, je disais que notre vie dépendait des astres, des météores. Nous avons amplement étudié les phénomènes lumineux qui prennent naissance sous l'effet du soleil, par exemple : les aurores australes, les parhélies*, les piliers lumineux, les arcs-en-ciel, et en avons acquis une connaissance qui nous a permis de développer de puissantes sources d'énergie. Au fil du temps, en étudiant les éléments de la nature, notamment ceux qui viennent du ciel, nous avons pu déterminer quand semer, quand moissonner, quand les risques d'inondation étaient les plus grands, quand redouter la sécheresse, le froid, le gel…

— Bof ! Ça, c'est pas nouveau ! commenta Mattéo. Tous les peuples anciens ont fait la même chose…

— C'est cette observation constante du ciel qui nous a valu le surnom d'Enfants des Étoiles…

— Ouais, pas mal ! apprécia Mattéo. Avec ton histoire, tu vas sûrement convaincre la prof de français de t'accorder un A+. Mais encore faut-il que ta grammaire et ton orthographe soient à la hauteur…

Alixe esquissa un sourire qu'elle masqua vite en constatant que le visage d'Emrys s'était refermé sous l'effet de la plus grande tristesse.

— Je me rends bien compte que mon histoire est difficile à croire. Et pourtant, c'est l'entière vérité. L'âge de fer est arrivé, et c'est le moment pour l'humanité d'accéder aux connaissances cachées et aux savoirs perdus… D'autant plus que les Dâsas sont aussi parmi nous et qu'ils sont plus puissants que jamais.

— Tu dis toujours « nous »… Qu'entends-tu par là ? l'interrogea Alixe.

Ses questions n'avaient pour but que d'aider Emrys à clarifier ses pensées, à mieux exprimer ses idées ; elle pensait ainsi l'aider à construire une histoire convaincante, assez solide pour intéresser un éditeur. Elle songeait que le récit de l'adolescent constituait une bonne fiction qui pourrait captiver de jeunes lecteurs. Il devait absolument poursuivre sa création, car la conviction avec laquelle il la racontait était contagieuse. À ses yeux, Emrys avait du talent.

— Actuellement, nous sommes douze Aryas, dispersés aux quatre coins du monde pour trouver des compagnons prêts à nous suivre…

— Pourquoi douze? le poussa Alixe.

Elle ne voulait pas qu'il développe une autre idée avant d'avoir mieux expliqué la précédente.

— C'est un chiffre très important, répondit Emrys. Dans notre civilisation, mais aussi dans la vôtre. Par exemple, vous connaissez les douze dieux primordiaux de l'Olympe, les douze signes du zodiaque, les douze heures du jour et de la nuit, les douze mois de l'année, les douze tribus d'Israël, les douze apôtres de la religion chrétienne, les douze descendants d'Ali dans l'islam, les douze étoiles du drapeau européen…

— Les douze travaux d'Astérix! lança aussitôt Mattéo sur un ton convaincu.

— Astérix? Je ne connais pas ce… cet…, fit Emrys, déstabilisé. Non… tu te trompes, ce sont les douze travaux d'Hercule…

— Laisse tomber, intervint aussitôt Alixe en décochant un coup d'œil furieux à son frère. Mattéo te fait une blague. Je te passerai la bande dessinée, tu comprendras.

— Où en étais-je, déjà ?... Ah oui ! Les douze coups de minuit..., poursuivit Emrys.

Alixe jeta un regard à son jeune frère, pressentant la moquerie qu'il avait sur le bout de la langue.

— ... et le carrosse de Cendrillon se change en citrouille ! gloussa Mattéo, incapable de se retenir.

L'adolescente n'en pouvait plus. Elle se mordit les lèvres pour ne pas éclater de rire à son tour. Emrys fronça encore les sourcils, mais ne répliqua pas.

— Depuis des millénaires et des millénaires, les Aryas ont survécu. Au début, au Gondwana, nous étions des êtres hermaphrodites, donc à la fois mâle et femelle...

— Marrant, ça ! Comme les escargots ! s'exclama Mattéo.

— Puis est arrivé un temps où les êtres se sont divisés en deux sexes distincts.

— Une question de survie, je suppose ? hasarda Alixe.

— Oui, tout à fait. Mais il a fallu des millénaires pour en arriver là, continua Emrys sans s'occuper du sourire sarcastique qui courait sur les lèvres de Mattéo. Nous sommes restés hermaphrodites assez longtemps et, pour nous reproduire, nous étions effectivement un peu comme les escargots. Le côté masculin de certains prenait le dessus sur leurs caractéristiques féminines selon les circonstances, et c'était l'inverse pour d'autres. Nous avons donc ainsi pu assurer notre descendance. Parmi les Aryas se trouvaient douze Gardiens des secrets de la vie. Lorsque l'un de nous mourait, un autre était choisi pour le remplacer…

— Ah, comme les lamas tibétains, fit Alixe.

— Oui, la comparaison est bonne !

— Et toi, tu viens nous choisir ! ricana Mattéo qui commençait à trouver que le jeu d'Emrys s'éternisait un peu.

— Il n'est plus temps de sélectionner ceux à qui nous confierons des bribes de savoir… Le temps du changement approche. Il faut absolument que nos connaissances soient dévoilées au plus grand nombre de gens possible. Nous vivons actuellement l'âge de fer, l'âge des maux…

— Attends une seconde. Ça me dit quelque chose, ça ! l'interrompit Alixe en se concentrant pour faire remonter un souvenir à sa mémoire. L'âge de fer, l'âge des maux… J'ai déjà entendu ces mots-là. Mais oui, dans mon cours de philo ! Eh, t'exagères, là, tu copies sur les philosophes antiques. Les poètes grec Hésiode et latin Ovide ont parlé des quatre âges de l'Humanité : âge d'or, âge d'argent, âge de bronze et âge de fer.

— Mais non ! s'exclama Emrys d'un ton ferme qui laissait deviner une colère contenue. Je ne copie pas. Vous êtes vraiment têtus ou vous faites exprès de ne pas comprendre. Hésiode et Ovide ont eu accès à des savoirs inconnus. Nous, les Aryas, les avions choisis pour accéder à des connaissances supérieures parce qu'ils étaient des hommes dignes et sages.

— Hum ! Tu pousses le bouchon un peu loin, Emrys, répliqua Alixe. Ton histoire dérape. Tu t'éloignes de ton sujet.

L'adolescent secoua la tête. Il semblait découragé. Plongeant alors la main dans son col de pyjama, il en extirpa un éclat de cristal de roche transparent pendant au bout d'une cordelette noire.

— Ce cristal de roche est un puissant amplificateur d'ondes… En même temps, il écarte toutes les énergies négatives et perturbantes pour procurer le calme et la sérénité. C'est aussi un excellent conducteur thermique. Tiens, Alixe, toi qui sembles bien connaître les poètes de l'Antiquité, tu seras heureuse d'apprendre que les Romains s'en servaient pour se refroidir les mains en été. Une propriété qui lui a valu son nom de « cristal », qui dérive du grec « glace ».

La jeune fille ne répondit rien. Elle était étonnée par l'érudition d'Emrys, mais elle se demandait surtout où il voulait en venir.

— Ce cristal est aussi une clé. Elle doit activer les sphères où sont enfermés la mémoire du monde et le secret des âges.

Le frère et la sœur se dévisagèrent. Alixe se disait qu'Emrys allait trop loin. Elle commençait à se sentir mal à l'aise. Les propos de l'adolescent lui faisaient craindre pour sa raison. Il avait l'air tellement convaincu ! Il lui faisait presque peur.

— Les textes sacrés, le secret des langues et des cultures, les grandes découvertes scientifiques et sociales du Gondwana, de Shamballa, d'Hyperborée, d'Agartha, de Mû et de l'Atlantide attendent depuis des milliers d'années d'être transmis à une nouvelle génération… À vous !

— L'Atlantide ! s'écrièrent Mattéo et Alixe en chœur.

— Ça va, les enfants ? les interrompit Mathilde qui, n'ayant pu retrouver le sommeil, avait fini par renoncer à sa grasse matinée pour les rejoindre autour de la table du petit-déjeuner.

— Oui, oui ! Nous discutions… euh… de philosophie ! lança Alixe en ramassant son verre et son assiette pour les déposer dans l'évier.

Emrys et Mattéo l'imitèrent.

— Eh bien! C'est moi qui vous fais fuir? C'est agréable, il n'y a pas à dire…, protesta Mathilde en constatant qu'elle allait se retrouver seule.

— J'ai un cours de judo, maman! fit Mattéo en déposant un baiser sur sa joue. Emrys m'accompagne.

— Et moi, je dois aller chez Cassandra pour un travail d'équipe! s'excusa Alixe en s'éclipsant.

CHAPITRE 4

Le froid mordant de la veille avait laissé place à une température beaucoup plus clémente. Le vent était tombé et le thermomètre flirtait avec le zéro. Les météorologues annonçaient encore quelques flocons de neige pour la fin de l'après-midi. Toutefois, sur le coup de midi, au moment où Mattéo et Emrys quittaient le dojo, le soleil brillait et il faisait plus doux. L'hiver montrait encore les dents, mais il en était à ses derniers soubresauts.

Pataugeant dans la névasse*, les deux adolescents se rendirent jusqu'à l'arrêt d'autobus pour attendre celui qui devait les ramener chez eux.

Soudain, Emrys se sentit observé. Un picotement caractéristique sur la nuque lui signalait que quelqu'un, derrière lui, avait les yeux fixés sur son dos. Sans geste brusque, pour ne pas inquiéter Mattéo, il examina les gens qui faisaient le pied de grue à leurs côtés. Personne ne leur prêtait attention, mais son impression d'être observé ne s'estompait pas. Une énergie maligne était à l'œuvre. Il pouvait la sentir sur sa peau, mais aussi dans son cerveau. Avait-il affaire à quelque voyou qui n'en voulait qu'à ses biens, ou encore à un être excessivement plus dangereux ? Mattéo lui parlait, mais Emrys ne l'entendait pas. Il était entré dans une autre dimension… un endroit où il pouvait discerner l'essence même des êtres qui l'entouraient. Cela lui permettait de déterminer lesquels étaient inoffensifs, et d'identifier ceux qui pouvaient se révéler agressifs. Mais ce qu'il recherchait surtout, c'était la présence machiavélique, le mal incarné. Il en était sûr maintenant, un Dâsa rôdait.

Tout à coup, il le vit. Il le reconnut immédiatement. Il s'agissait de Vitra, le chef d'un groupe de Dâsas qui étaient à ses trousses depuis fort longtemps.

L'homme d'une trentaine d'années, vêtu d'un long manteau rouge, était appuyé à l'angle d'un immeuble, à une centaine de pas. Il cachait son visage derrière un large foulard de laine, et c'était ce qui avait d'abord attiré l'attention d'Emrys. La température était trop douce pour être ainsi camouflé.

En tentant de se faufiler en pensée dans l'esprit de l'homme, Emrys eut la confirmation de ses craintes : il se heurta à un véritable mur d'énergie qui repoussa sa tentative d'intrusion.

L'adolescent comprit que tant qu'ils se trouveraient, Mattéo et lui, au sein d'une foule, ils n'avaient rien à redouter. Bien entendu, le Dâsa pouvait paralyser un nombre important de personnes à la fois mais, généralement, les Ténébreux préféraient éviter le contact avec les grands groupes et concentrer leur puissance sur un seul individu. Emrys savait que dès qu'ils seraient isolés, toutefois, le Dâsa s'attaquerait à eux… ou plutôt à lui, car Mattéo ne courait pratiquement aucun danger. Le chef de groupe dâsa l'immobiliserait sans lui faire le moindre mal, afin d'avoir le champ libre pour s'en prendre à Emrys avec violence. La guerre ancestrale qui opposait les deux peuples ne concernait que les Aryas et les Dâsas. Les autres habitants de la Terre ne faisaient partie ni du problème ni de la solution, du moins tant que les Aryas n'avaient pas entrepris de leur transmettre leurs savoirs et leurs connaissances. Cependant, Emrys était conscient que les choses étaient sur le point de changer.

Au grand soulagement du jeune Arya, l'autobus arriva enfin. Sans s'occuper des protestations des autres passagers, il poussa Mattéo devant lui pour s'assurer qu'ils seraient parmi les premiers à y monter. Le véhicule était bondé, ce qui leur assurerait la protection de la foule. À l'intérieur de son crâne, Emrys avait conscience des tentatives du Dâsa d'infléchir sa volonté. Heureusement, l'énergie qui se dégageait des corps des gens autour d'eux était assez puissante pour dresser un barrage suffisamment solide pour atténuer l'attaque. Évidemment, les ondes cérébrales de ces gens n'étaient pas du tout contrôlées, mais, dans le cas présent, Emrys se dit que c'était mieux que rien.

— Mon Dieu! J'ai mal à la tête, lança brusquement Mattéo en portant ses mains à ses tempes.

La peur et la douleur se lisaient sur son visage, et Emrys grimaça. Il n'avait pas envie d'engager le combat à distance avec le Dâsa pour le forcer à relâcher son emprise sur Mattéo. Il n'avait qu'une hâte : que le chauffeur relance enfin son véhicule dans la circulation. Si le bus ne s'éloignait pas rapidement, tous ceux qui les entouraient seraient bientôt pris de violents maux de tête, voire de nausées.

Finalement, son vœu fut exaucé : la porte se referma sur le dernier passager et l'autobus s'ébranla poussivement. Pendant encore de longues minutes, Emrys ressentit la présence du Dâsa, avant que l'éloignement réussisse à briser le flot d'énergie maléfique.

— Ça va mieux? demanda-t-il à Mattéo qui avait cessé de grimacer en se tenant les tempes.

— Oui. C'était incroyable… fulgurant ! J'ai eu une de ces frousses. J'ai cru que je faisais un accident vasculaire cérébral ou quelque chose du genre ! Quelle horrible sensation !

— Oui, je sais ! répliqua spontanément Emrys.

Comme Mattéo le dévisageait sans comprendre, l'adolescent ajouta :

— Il y avait un Dâsa au coin de la rue… Il n'a pas eu besoin d'utiliser la force physique pour te neutraliser, son énergie mentale était assez puissante. Il aurait pu te causer de multiples problèmes… jusqu'à te faire perdre connaissance.

Mattéo lui jeta un regard de travers.

— Encore cette histoire de Dâsa ? J'en ai vraiment marre de tes inventions. Si j'avais subi une attaque cérébrale, t'aurais fait quoi ? Appeler je ne sais quel extraterrestre au secours ?

Mattéo avait élevé la voix et quelques passagers tout près le dévisagèrent, certains avec inquiétude, d'autres en souriant. La plupart détournèrent le regard, ne voulant surtout pas se mêler d'une querelle entre jeunes.

Pendant tout le trajet, Emrys demeura sur le qui-vive et Mattéo lui tourna le dos. Ils descendirent du véhicule sans échanger une parole et Mattéo se hâta en direction de chez lui. Après quelques pas, Emrys se figea.

Les Ténébreux n'avaient pas lâché prise. Ils étaient là. Il le savait, même s'il n'avait pas encore déterminé l'endroit exact où ils se trouvaient.

Tout à coup, il vit les jambes de Mattéo fléchir sous lui. Son ami s'écrasa sur le trottoir comme une feuille morte en automne. Le choc fut amorti par son sac à dos qui contenait son judogi*. Emrys se précipita pour l'aider à se relever.

— Vite ! Ils sont là… Appuie-toi sur moi. Nous devons absolument entrer dans la maison.

Péniblement, Mattéo s'appuya sur une main pour se mettre à genoux. Ce fut à ce moment-là qu'il les vit : un homme et une femme, âgés de vingt à vingt-cinq ans tout au plus. Ils avaient le même teint mat, les mêmes dents blanches qu'Emrys, et pourtant, tout en eux était différent. Ils transpiraient la violence par tous les pores de leur peau. Il remarqua aussi leurs yeux en amande, leurs pommettes saillantes et leurs cheveux roux ébouriffés qui leur donnaient un air assez étrange. Tous deux portaient un long manteau pourpre qui les couvrait de la tête aux pieds. Un très bref instant, Mattéo se passa la remarque qu'ils avaient l'air de deux pères Noël. Cette pensée farfelue amena un ricanement à ses lèvres.

L'homme et la femme concentraient leurs regards sur Emrys, qui ne bronchait pas. Il semblait incapable de faire un mouvement. Mattéo se redressa avec peine. Menaçant, l'homme se tourna vers lui. Alors, il se passa une chose qu'il aurait bien de la difficulté à expliquer plus tard : l'adolescent fit face à son agresseur, les jambes écartées, comme il l'avait maintes et maintes fois répété dans ses cours de judo. Lorsque l'homme s'approcha de lui, il referma ses mains comme des serres sur les manches du manteau, puis recula imperceptiblement son pied droit, ce qui força son adversaire à faire un pas en avançant le pied gauche. Alors, fléchissant le genou presque à lui faire toucher terre, il tira les bras vers le bas sans lâcher l'homme. Déséquilibré, ce dernier passa par-dessus le genou de Mattéo et se retrouva les quatre fers en l'air dans la neige sale.

— *Uki Otoshi !* s'exclama le garçon, tout fier de lui.

Des bruits de pas leur parvinrent. L'homme se releva, tout mouillé. Un rictus mauvais étirait ses lèvres. À ce moment-là, relâchant son emprise sur Emrys, sa compagne attira son attention vers deux personnes qui accouraient sur les lieux de la bataille.

— Police! cria l'un des deux agents.

L'homme et la femme firent demi-tour et s'enfuirent en courant. Mattéo remarqua qu'ils couraient vite, très vite… aussi rapidement qu'Emrys, le matin même, sur le tapis roulant.

Brusquement, il tomba à son tour dans la névasse. La tête lui tournait ; il se sentait nauséeux et affaibli. Les policiers les rejoignirent.

— Que s'est-il passé ? Vous les connaissez ? demanda le premier agent.

Emrys expliqua que ces deux personnes les avaient attaqués sans motif alors qu'ils rentraient tranquillement chez eux. Il se garda toutefois de préciser qu'il avait une bonne idée de leur identité.

Après que Mattéo les eut assurés qu'il était indemne, les deux policiers les escortèrent jusqu'à la résidence des Langevin qui était à deux pas du lieu de l'agression. Ils prirent en note la déposition des adolescents qui affirmèrent encore une fois ne pas connaître leurs assaillants, puis, au grand soulagement de Mattéo, ils quittèrent les lieux. Ensuite, ce fut aux questions de ses parents inquiets que le garçon dut faire face.

— Je peux dire merci au judo ! lança-t-il en riant, en réponse à une question de son père. Mon entraîneur serait content de moi. J'ai utilisé la « voie de la souplesse », en faisant appel à mes ressources autant physiques que mentales.

— Vraiment, vous ne connaissez pas ces gens? s'inquiéta néanmoins Mathilde Langevin, qui avait interrompu la préparation du repas du midi lorsque les policiers avaient ramené les deux adolescents.

Mattéo et Emrys échangèrent des regards. Dans celui de son ami, Emrys put lire une prière muette le conjurant de ne pas parler des Dâsas.

— Non. Ils ont dû nous prendre pour quelqu'un d'autre…, répondit Mattéo avec un détachement feint. Bon, je vais me changer. Mes jeans sont tout mouillés.

— Moi aussi! ajouta Emrys en le suivant à l'étage.

Arnaud et Mathilde, soucieux, écartèrent les lames du store de bois de la fenêtre du salon pour regarder dehors.

— Tu me crois, maintenant? demanda Emrys, qui avait suivi Mattéo dans sa chambre.

Celui-ci ne répondit pas. Il se contenta de sortir un nouveau pantalon de sa penderie. Emrys songea que Mathilde avait dû faire un bon rangement dans la chambre de son ami, car tout était maintenant bien placé et respirait la propreté.

— Les Dâsas sont très dangereux, le prévint-il. La prochaine fois, tu ne t'en sortiras peut-être pas aussi bien. Tu as eu de la chance, car ta prise de judo a surpris Ahi.

— Ahi? demanda Mattéo, en s'empêtrant dans une jambe de son jeans, ce qui lui fit perdre l'équilibre.

Il se retint *in extremis* à sa commode.

— Ahi est l'un des Dâsas qui sont sur ma piste. La fille, c'est Nisha. Celui qui nous surveillait à l'arrêt d'autobus est Vitra, le chef du groupe. Ils me pourchassent depuis… depuis longtemps!

Mattéo se laissa tomber sur son lit. Il avait le teint pâle. L'adrénaline qui l'avait secoué pour lui permettre de réagir à l'agression venait tout à coup de le quitter. Il se rendait maintenant compte qu'il l'avait échappé belle. Il était vidé. Il n'avait que treize ans, et il avait osé combattre un adulte qui faisait bien deux fois son poids et avait sûrement le double de sa force physique, et même plus, probablement.

— Tu sais comment le judo a été découvert? lâcha-t-il brusquement.

— Oui. C'est un Japonais du nom de Kano qui l'a inventé à la fin des années 1880…, répondit tout doucement Emrys, qui se rendait compte que Mattéo avait besoin d'aborder n'importe quel sujet pour chasser la peur qui imprégnait rétrospectivement son cerveau.

— Évidemment!… Suis-je bête! Tu sais tout.

Néanmoins, Mattéo poursuivit:

— Il a inventé le judo un hiver en regardant les branches d'un cerisier. Il a vu que les grosses branches cassaient sous le poids de la neige, tandis que les plus fines, les plus souples, pliaient et se débarrassaient de leur «agresseur» avec souplesse. C'est ainsi qu'il a créé le judo. Ce nom signifie «la voie de la souplesse».

La voix de Mattéo se brisa sur les derniers mots, et il se mit à pleurer sans pouvoir se contrôler.

Emrys s'approcha et entoura d'un bras protecteur les épaules de son ami.

— N'aie pas peur! Il ne t'arrivera rien. Ni à toi, ni à Alixe, ni à tes parents. Nous allons y veiller. Tu dois me promettre que tu ne t'opposeras plus aux Dâsas…

Mattéo renifla et épongea ses larmes avec un coin de sa housse de couette.

— Mais toi? bredouilla-t-il en ravalant un sanglot.

— Moi, j'ai l'habitude, le rassura Emrys. Et je ne suis pas seul, comme je te l'ai déjà dit. Nous sommes douze Gardiens, et les dirigeants de mon peuple peuvent intervenir si le besoin s'en fait sentir.

— Je ne comprends pas… Pourquoi es-tu là? Pourquoi es-tu, euh… toi?

— Je te l'ai expliqué. Les Aryas sont des nobles, des savants. Nous protégeons les savoirs et les connaissances du monde, et les conservons dans un endroit où personne n'a jamais eu l'idée de chercher, sauf peut-être les poètes, les écrivains et les gens ayant beaucoup d'imagination.

— Oui, mais toi, personnellement? insista Mattéo.

— Oh, moi! Je pouvais prendre la personnalité qui me convenait. Ici, j'ai choisi d'incarner un adolescent, car il m'a semblé que je passerais plus facilement inaperçu dans ton monde…

— Mauvaise idée! ricana Mattéo, malgré un accent de tristesse qui teintait encore sa voix. C'est pas la joie, d'être ado en ce bas monde…

— Je vois que tu retrouves ton sens de l'humour! s'amusa Emrys.

— Pourquoi les…

Mattéo hésita à prononcer le mot. Il lui semblait que si le nom des ennemis d'Emrys franchissait ses lèvres, c'était comme s'il reconnaissait leur existence. En lui-même, il n'était pas encore tout à fait prêt à admettre qu'il croyait en cette histoire abracadabrante.

— Pourquoi les… les méchants, reprit-il, ne trouvant pas de mot plus approprié pour le moment, t'ont-ils attaqué? Que veulent-ils?

— Cette fois, ils voulaient simplement m'éloigner de toi… Leur but était sans doute de te mettre hors-jeu et de m'emmener, pour ensuite me tuer dans un endroit discret. Les Dâsas ne font pas de prisonniers. S'ils capturent un Gardien, ils l'éliminent. C'est tout!

— Mais pourquoi? s'écria Mattéo, anéanti.

— Les Dâsas ne veulent pas que les savoirs perdus se transmettent… sauf à ceux qu'eux-mêmes auront choisis. Et évidemment, ils ne sélectionneront pas les meilleurs des êtres humains. Les connaissances peuvent servir le bien ou le mal, selon celui qui les possède.

— Oui, ça, je le sais déjà! Si un savant découvre une nouvelle arme et qu'il se met au service d'un tyran, ce dernier peut anéantir toute la planète…

— C'est la même chose pour les savoirs perdus…, confirma Emrys, heureux de constater que Mattéo commençait enfin à saisir la portée de sa mission. La plupart des connaissances dont nous disposons donneraient un pouvoir considérable à celui qui les posséderait. Et si elles sont mal utilisées, elles causeront plus de dommages qu'elles n'apporteront de bénéfices;

même si, en elles-mêmes, elles ne sont ni dangereuses ni néfastes.

— À qui dois-tu dévoiler l'endroit où vous gardez ces connaissances? s'enquit Mattéo, intrigué plus qu'il ne voulait l'avouer par les propos de son ami.

— Au plus grand nombre de gens possible. Ces connaissances ne sont pas réservées aux chefs d'État ou aux grands penseurs de ce monde, justement pour éviter que certains ne s'en servent pour en opprimer d'autres. Tous, toi, ta sœur, tes parents, pourraient en profiter.

— Comment?

— Il faudra me suivre jusqu'à l'endroit où d'autres Aryas veillent sur les savoirs perdus depuis des millénaires…

— Pourquoi dis-tu toujours « des savoirs perdus »? les interrompit Alixe en faisant irruption dans la chambre de son frère.

— Tu aurais pu frapper! lui lança ce dernier, offensé par cette intrusion intempestive dans son intimité.

Elle tira la porte vers elle, y asséna trois coups de l'index replié et répliqua:

— Voilà, tu peux considérer que j'ai frappé! Bon, alors, c'est quoi, les savoirs perdus?

— Elle m'énerve! grogna Mattéo en lui balançant son oreiller à la tête d'un mouvement vif.

La jeune fille esquiva le projectile et se précipita aussitôt sur son frère pour le chatouiller sans ménagement.

CHAPITRE 5

Les trois adolescents s'étaient assis sur le sol, en triangle, et se faisaient face. Mattéo et Alixe étaient, malgré eux, suspendus aux lèvres d'Emrys, car son don de conteur savait les captiver.

— Le savoir perdu, c'est relativement simple, expliqua l'adolescent en choisissant ses mots pour bien se faire comprendre. Ça arrive à chaque génération. On entend par là tous les savoir-faire qui se perdent parce qu'un tour de main disparaît. Par exemple, votre grand-mère a montré à votre mère comment tricoter, mais si Mathilde ne vous l'apprend pas… eh bien, c'est un savoir-faire familial perdu, car vous ne le montrerez pas non plus à vos propres enfants. Ne vous est-il jamais arrivé de trouver, par exemple dans un marché aux puces, un objet en vous demandant à quoi il sert?

— Oui… oui! s'exclama Alixe. Une fois, j'ai trouvé un drôle de truc en fer, ça ressemblait à une pince. On m'a expliqué que le paysan tenait l'anneau et pouvait y passer une corde pour avoir plus de force, et que la partie inférieure en forme de pince servait à tenir un bœuf par les naseaux…

— D'où l'expression : se faire mener par le bout du nez ! répliqua Mattéo du tac au tac.

— T'es un sacré pince-sans-rire, toi ! ajouta Alixe qui avait l'esprit aussi vif que son frère.

Emrys sourit. Il commençait à s'habituer à ces joutes verbales entre le frère et la sœur et à apprécier leurs réparties, souvent très amusantes.

— Oui, c'est effectivement cela ! reprit Emrys. Quand moi, je parle de savoirs perdus ou oubliés, je fais surtout référence à des connaissances scientifiques qui existaient autrefois et que l'on n'a pas pris la peine de transmettre d'une génération à l'autre.

— Mais on ne peut pas tout garder ! On remplace parfois un objet par un autre, plus performant, objecta Alixe. La même chose pour une notion mathématique ou physique. Les nouvelles découvertes chassent les plus anciennes. C'est naturel. Sans cette évolution, notre monde serait figé. C'est ça, le progrès ! C'est ce qui fait qu'une civilisation est vivante et toujours en train d'inventer…

— Tu as raison ! opina Emrys. Mais qui te dit, par exemple, que dans les vieux traités de médecine, de mathématiques, de physique des savants grecs ou arabes d'il y a deux ou trois mille ans, tu ne peux pas trouver la réponse à un problème actuel?…

Le frère et la sœur hochèrent la tête en silence, réfléchissant aux propos tenus par leur ami. Jusque-là, ils n'avaient jamais considéré les choses sous cet angle. En fait, ils ne s'étaient même jamais attardés à y penser.

— Il faudrait pouvoir analyser tous les vieux manuscrits, ça prendrait un temps fou, même avec plusieurs ordinateurs travaillant simultanément! réfléchit Alixe à haute voix.

— Tenez, voici un exemple, continua Emrys. Avez-vous entendu parler de la pile électrique de Bagdad?

Le frère et la sœur firent non de la tête.

— On dit que c'est un objet impossible, car il aurait été fabriqué grâce à des connaissances que l'on croit inaccessibles pour l'époque. Et pourtant, la pile de Bagdad a été découverte en 1938 par un archéologue allemand. Elle avait été conçue plus de deux mille ans avant que la civilisation actuelle ne découvre l'électricité. Cette pile a été fabriquée à l'aide d'un petit pot de terre cuite et d'une tige de fer placée dans un cylindre en cuivre, isolé par un bouchon d'asphalte. Le tout était rempli de citron ou de vinaigre et fermé hermétiquement par un autre bouchon d'asphalte. Plusieurs dizaines de piles du genre ont été trouvées dans la région de Bagdad, en Irak. La découverte de cet archéologue est passée inaperçue à cause de la Deuxième Guerre mondiale, mais par la suite, un chercheur américain d'un institut électrique s'est penché sur ces piles et les a reconstruites pour vérifier si elles fonctionnaient. Ç'a marché, et très bien même. Il a pu obtenir un courant de deux volts avec cette pile fonctionnant au jus de citron... Pas mal, hein?

— Wow! s'exclama Mattéo. Il faudra que tu me montres comment en faire une! Avec une telle démonstration, c'est sûr, je vais réussir mon cours de sciences.

— C'est le même principe que pour allumer une ampoule avec une pomme de terre, répliqua Alixe en levant les yeux au ciel comme si elle désespérait des capacités intellectuelles de son petit frère. T'as déjà fait ça à l'école...

Mattéo haussa les épaules en soupirant, incommodé par la remarque de sa sœur qui laissait entendre qu'il était idiot.

— Bof! On n'a pas besoin de faire de l'électricité de cette manière de toute façon..., marmonna-t-il. Si j'ai besoin de piles, j'ai juste à en acheter et le tour est joué!

Une grimace étira les lèvres d'Emrys, puis il secoua la tête, dans un geste presque désespéré. Le comportement de Mattéo ne cessait de le désarmer. Son ami se révélait beaucoup plus difficile à convaincre qu'il ne s'y était attendu. En fait, ce n'était pas du scepticisme qui animait Mattéo, mais plutôt un je-m'en-foutisme qu'il ne comprenait pas. L'adolescent ne semblait avoir aucun intérêt pour quoi que ce soit.

— T'en fais pas! s'exclama Alixe, devinant à l'air d'Emrys que la légèreté de son frère le laissait perplexe. C'est l'âge! Il est en pleine crise d'adolescence. Rien ne l'intéresse, rien ne lui plaît… il n'a d'intérêt pour rien!

— Et toi? répliqua Mattéo, piqué au vif. Tu ne crois pas que tu m'énerves avec tes crises existentielles? Tu te poses des questions sur tout et sur rien. Tu philosophes sur les mystères de la vie… T'écris des poèmes sur la futilité de l'existence… Pfff, n'importe quoi!

— Hé! T'as fouillé dans mes affaires! Je t'interdis… Je t'interdis d'entrer dans ma chambre! hurla Alixe, les poings serrés, le visage crispé par la rage, les lèvres tremblantes et le cœur au bord des larmes.

Emrys dut s'interposer rapidement entre le frère et la sœur pour éviter que l'affrontement verbal ne dégénère en véritable bataille.

— Du calme! s'exclama-t-il en appliquant la paume d'une main sur la poitrine de Mattéo et l'autre sur le ventre d'Alixe.

Alors, le frère et la sœur se sentirent envahis d'une étrange chaleur et une grande sérénité se répandit en eux, refoulant leurs angoisses et leur fureur. Ils ne pouvaient expliquer ce qui se passait, mais ils étaient bien, excessivement bien. Jamais ils ne s'étaient sentis ainsi apaisés, emplis d'une douceur qui les ramenait aux premières heures de leur existence. Ils avaient l'impression physique d'être redevenus des nouveau-nés, cajolés et baignés dans un immense amour ambiant.

— Qu'est-ce que tu m'as fait? balbutia Mattéo. Je sens comme des picotements et une sensation de chaleur…

— Ce n'est pas du tout désagréable, enchaîna Alixe. C'est plutôt un sentiment de paix et de détente qui m'habite de la racine des cheveux à la plante des pieds…

— N'ayez pas peur! les rassura Emrys de sa voix si calme et si profonde qui avait le don de les détendre. C'est une démonstration de ces savoirs perdus dont nous parlions… Les connaissances ne servent pas uniquement à fabriquer des objets, mais aussi à soigner, à calmer, à instaurer la paix en soi et autour de soi.

— Tu es un… sorcier ? demanda Mattéo, qui n'avait pu trouver de meilleur mot pour exprimer ce qu'il pensait de son ami.

Emrys éclata de rire.

— Non. Je te l'ai dit déjà. Je suis un savant, un Arya.

— Tu crois qu'il existe plein de choses comme la pile de Bagdad, des objets qui datent de plusieurs millénaires ? Des savoir-faire qui ont été oubliés et qu'on a redécouverts plusieurs centaines, voire plusieurs milliers d'années plus tard ? demanda Alixe, dont les yeux verts pailletés d'or exprimaient l'ébahissement et l'excitation, comme si elle venait elle-même de faire une découverte capitale pour le bien de l'humanité tout entière.

— Oui… c'est ce qu'on appelle les savoirs perdus. Il y en a certains qui ont été redé-couverts, mais d'autres qui demeurent cachés. Mais, ne t'inquiète pas, ils n'ont pas été défi-nitivement oubliés. Nous, les Aryas, les avons conservés précieusement afin de les transmettre aux générations futures lorsque nous jugerons le moment venu. C'est la raison de ma présence parmi vous.

— Il est temps que tu nous en dises plus sur ton peuple, reprit Alixe, maintenant complètement adoucie, ayant totalement oublié sa récente animosité envers son frère.

Emrys regarda Mattéo, puis Alixe, puis encore Mattéo. Il hésitait. En réalité, il jaugeait ses amis, cherchant à déterminer s'ils étaient prêts à accepter les révélations qu'il allait leur faire. Leurs énergies mentales semblaient aptes à recevoir les informations qu'il devait leur transmettre pour bénéficier de leur soutien dans son importante mission. Inspirant profondément, il se lança :

— Au Gondwana, les Aryas étaient dirigés par une monarchie, donc par un roi. Tous nos rois ont toujours porté le nom d'Indra. Ils partageaient la souveraineté avec deux conseils. Ces conseils étaient chargés de leur élection. Le pouvoir n'était donc pas transmis par filiation, mais bien par consultation.

Comme Mattéo fronçait les sourcils, Emrys précisa :

— Il ne suffisait pas d'être fils de roi pour devenir roi à son tour… ça ne leur donnait aucun droit de plus qu'aux autres.

Mattéo hocha la tête pour signifier qu'il avait compris. Emrys poursuivit :

— Pour le seconder, Indra avait recours à un général, appelé Vijay, à un grand prêtre, prénommé Agni, et à un responsable de la prospérité, Samyou. Vers l'âge de sept ans, l'enfant arya recevait l'initiation et pouvait commencer à être instruit des connaissances du monde, par un ou plusieurs maîtres. Il devait apprendre par cœur des milliers de formules et les mythes qui les expliquaient, car la mémoire était plus importante que l'écriture. Dans les Premiers Temps, les Aryas n'avaient pas besoin d'écrire pour se souvenir.

— Wow! Fallait avoir un sacré disque dur pour cerveau! s'exclama Mattéo, dans sa façon imagée de voir les choses.

— Après une bonne vingtaine d'années d'études, continua Emrys sans se laisser distraire, l'Arya était prêt à intégrer un conseil, à devenir général, grand prêtre ou peut-être même roi, s'il était élu. Seules les compétences des uns et des autres étaient prises en considération pour occuper une fonction.

— Pour les filles aussi? s'inquiéta Alixe, qui savait très bien que les temps anciens n'avaient pas toujours été très favorables à la gent féminine.

— As-tu oublié que je t'ai dit que les Aryas des Premiers Temps étaient hermaphrodites? demanda Emrys. Alors, bien sûr, même les Aryas qui avaient des caractéristiques féminines plus développées pouvaient accéder à toutes les fonctions, comme à la royauté. Il n'y avait aucune différence.

— Mais comment avez-vous fait pour acquérir ces connaissances? l'interrogea encore

Alixe. Ça ne vous est pas tombé du ciel, comme ça, tout cuit dans le bec !

— Tu ne crois pas si bien dire ! s'amusa Emrys. Je t'ai dit qu'on nous appelle parfois les Enfants des Étoiles. Pour acquérir le savoir, nous nous sommes simplement mis à l'écoute du cosmos qui se manifeste par le cours régulier des étoiles, par la succession des saisons. Nous avons appris à reconnaître les comportements qui mènent à la prospérité, notamment l'honnêteté et la paix. On a compris comment reconnaître les signes de la fécondité, d'abord en nous-mêmes, en tant qu'êtres hermaphrodites, mais aussi chez les animaux et celle de la terre. Nous avons mis nos apprentissages en commun et les avons transposés en chants aux versets rythmés. Et ce fut ainsi qu'un jour, à force de répétitions, d'essais et d'erreurs, un grand prêtre arya découvrit le pouvoir des chants et des cris. Le cri est une arme puissante. Une maxime dit que celui qui connaît le secret des sons, connaît le mystère de tout l'univers.

— Oui ! s'exclama Mattéo.

Les propos d'Emrys avaient réveillé en lui son intérêt pour les arts martiaux.

— On dit que le kiaï japonais peut donner la mort en agissant sur les centres nerveux de l'adversaire…

— De tout temps, dans certains écrits antiques, et même encore maintenant, en Chine, en Inde, on dit que les sons possèdent le pouvoir de guérir, de revigorer l'organisme ou, au contraire, de le détruire. Et tout le monde sait que les ondes sonores ont aussi la faculté d'agir sur les objets, ainsi elles peuvent briser une coupe de cristal… ou, si elles sont particulièrement fortes, déplacer un objet plus lourd !

— Hein ? s'étonna Mattéo. Tu peux faire bouger des objets avec des sons ?

— En fait, ce n'est pas vraiment l'onde sonore qui déplace l'objet, mais l'air qui l'entoure qui est remué par l'onde. Plus les décibels sont élevés, plus l'air vibre et plus l'objet à déplacer pourra être lourd… Les Aryas ont l'habitude de dire que l'écoute mène à la trouvaille et au savoir. Il suffit de savoir écouter les enseignements du cosmos.

— Eh bien, une chance que les parents ne sont pas dans cette pièce en ce moment, ricana Mattéo. J'entends déjà papa faire remarquer qu'il nous l'a toujours dit : il faut l'écouter…

Alixe ferma les yeux en secouant la tête, comme si elle était totalement déçue par le manque de profondeur des réflexions de son frère.

— Le spectacle de la nature vous a donc appris beaucoup de choses fort utiles, reprit

Alixe en relevant les yeux sur Emrys, le fixant intensément. Nous, nous ne prenons même plus le temps de nous extasier devant un coucher de soleil… On oublie de plus en plus les leçons de l'univers, sauf quand, parfois, il se manifeste de façon cataclysmique : lors d'un tsunami, d'un tremblement de terre ou d'une éruption volcanique. Oui, nous sommes tout petits face aux éléments…

— La nature nous a appris des choses formidables, mais cet enseignement a aussi été détourné au fil du temps… Un jour, en voyant la foudre tomber sur un arbre et le calciner de la cime au pied, l'idée du bâton d'énergie a germé dans l'esprit d'un Arya.

— Oh, oh ! Un bâton d'énergie… de mieux en mieux ! s'exclama Mattéo. Une arme laser, comme dans les films de science-fiction. J'aime ça… Ouais, j'aime ça !

— Dans les Premiers Temps, le bâton d'énergie a été réservé au roi, au général et au prêtre, car son utilisation était difficile, mais surtout très risquée, autant pour l'utilisateur que pour son entourage. D'ailleurs, à propos de bâton d'énergie, avez-vous remarqué que dans votre civilisation, on parle du sceptre des rois, du bâton de commandement des maréchaux des armées, de la baguette du chef d'orchestre ? Et même, il fut un temps où les policiers maniaient un bâton blanc. Ce bâton confère l'autorité à celui qui le possède…

— Tu crois que notre civilisation a gardé le symbole du bâton sans être consciente de ce qu'il représentait à l'origine ?! s'étonna Alixe, la bouche ouverte sur l'exclamation de stupeur qui avait ponctué son interrogation.

— Je ne le crois pas ! J'en suis convaincu, lui répondit Emrys, dont le visage s'éclaira d'un immense sourire.

Il voyait bien maintenant que l'esprit d'Alixe fonctionnait à pleine vitesse et était capable de le suivre dans ses explications, même celles qui, à première vue, semblaient les plus étranges.

— Plusieurs objets ont ainsi une significa-tion détournée et n'ont plus du tout les mêmes pouvoirs que ceux que nous, les Aryas, leur avions attribués dans les Premiers Temps.

— Lesquels ? le pressa Alixe, avide d'en savoir plus.

Un gargouillis en provenance du ventre de Mattéo interrompit l'échange, et l'adolescent haussa les épaules en signe de fatalité.

— Je sais pas pour vous, mais moi, je crève de faim ! lança-t-il en se levant. Et les bonnes odeurs qui viennent de la cuisine m'indiquent que le repas est prêt.

Sans s'occuper des deux autres qui le regardaient, interloqués, il ouvrit la porte et sortit de la chambre. Ils l'entendirent dévaler l'escalier de bois.

— Mattéo ne me croit pas! fit Emrys en tendant la main à Alixe pour l'aider à se lever.

— Il est encore un peu jeune pour tout saisir, souffla l'adolescente en rougissant au contact des doigts d'Emrys sur les siens.

Pour se donner une contenance, elle rajusta sa jupe agitée par un peu d'électricité statique née du frottement contre le tissu synthétique du pouf où elle s'était assise.

Emrys avait beau être plus jeune qu'elle de deux ans, elle n'était pas du tout insensible à sa séduction. Il émanait de lui un tel magnétisme, une telle douceur, un tel calme… Elle sentait un profond bien-être l'envahir à son contact, tandis que son cœur, lui, avait tendance à galoper à toute vitesse.

Soudain, une fulgurante idée se présenta à son esprit: *S'il dit vrai, Emrys n'est alors pas vraiment plus jeune que moi… mais plutôt plus âgé de… de plusieurs millénaires!*

Elle remua la tête pour chasser ces folles pensées, avant d'ajouter très rapidement:

— Je pense surtout que Mattéo a peur de te croire. Tout ça est si extraordinaire. Il a l'impression d'être confronté au surnaturel et ça le déstabilise. Je dois t'avouer que, moi aussi, j'ai parfois un étrange frisson entre les deux épaules lorsque tu abordes ces sujets, mais... je suis prête à te croire ! Lui ne l'est pas encore totalement, mais ça viendra.

— Allons manger ! répondit Emrys en lui prenant la main.

Elle rosit de confusion, ou n'était-ce pas plutôt de plaisir ? L'étrange frisson était-il dû à l'histoire d'Emrys ou à sa simple présence ?

CHAPITRE 6

Après le repas, les adolescents se précipitèrent de nouveau dans la chambre de Mattéo.

— C'est étonnant ! D'habitude, Alixe passe tous ses samedis chez sa copine Cassandra, lança Mathilde à son mari qui était en train de faire des retouches de peinture dans le salon.

— Emrys semble être plus intéressant que Cassandra ! répliqua Arnaud avec un petit air qui laissait sous-entendre que sa fille était peut-être en train de tomber amoureuse du nouveau venu.

— Il est plus jeune qu'elle ! s'étonna Mathilde. Généralement, elle choisit des petits copains plus âgés…

— Oui, il est plus jeune en âge. Mais, de caractère, je trouve que c'est un garçon très mûr. Il a de bons sujets de conversation, il est équilibré, il est intelligent…

— … et plutôt beau garçon ! enchaîna Mathilde. Notre fille est séduite…

— Tu as raison ! répondit Arnaud avec un grand sourire. J'aime autant les savoir ici, en train de parler et de refaire le monde… que de les voir courir les rues.

— Peut-être qu'Emrys leur en apprendra plus sur lui, sur sa vie, sur l'endroit d'où il vient. Il doit quand même avoir des parents, ce garçon… ou un tuteur quelque part.

— Pour l'instant, l'Association de protection et de défense des droits des enfants semble complètement dépassée par son cas, reprit Arnaud. Comme je te l'ai dit hier, j'ai reparlé au responsable du dossier d'Emrys, et rien. Aucune piste. Aucun jeune correspondant à sa description n'est porté disparu…

— Et si c'était un étranger qui avait franchi la frontière illégalement ? s'inquiéta Mathilde.

— Laissons agir les autorités, tempéra Arnaud en reculant pour examiner les retouches qu'il venait d'appliquer sur le mur, au-dessus du canapé. De toute façon, c'est un bon garçon… Il semble heureux ici, alors laissons-le tranquille. Un jour ou l'autre, il finira bien par nous en dire plus, alors on avisera à ce moment-là. Je ne vois pas l'intérêt de le bousculer pour le moment…

— Oui, bien entendu ! Si on le presse trop de questions, il risque de se refermer dans sa coquille et nous n'obtiendrons plus rien de lui, confirma Mathilde. Il se confiera sans doute beaucoup plus facilement à Mattéo et à Alixe… et nous en saurons plus de cette manière.

— À moins qu'il leur fasse jurer le secret ! Tu sais comme moi que dans ces cas-là, nos enfants resteront muets comme des carpes. On ne leur fera jamais dire ce qu'ils veulent garder caché…

— Ah, soyons patients ! Laissons-lui le temps de s'habituer à nous. Je suis sûre qu'à un moment ou un autre, il se confiera. Quand il aura confiance en nous, il se laissera sûrement aller à plus d'explications…

— Je me demande bien de quoi ils parlent là-haut, fit Arnaud en brandissant son pinceau vers le plafond.

Quelques gouttes de peinture bordeaux dégoulinèrent sur le parquet de bois.

— Attention ! s'exclama Mathilde.

— Zut ! jura-t-il en se hâtant de nettoyer avec le chiffon maculé de peinture qu'il tenait à la main.

Évidemment, il fit pire que bien en étendant la tache. Mathilde se précipita vers la cuisine pour en revenir avec un linge propre et humide. Arnaud était légèrement maladroit dans les travaux de bricolage. *Après tout, c'est un prof d'histoire, pas un peintre en bâtiment*, songea Mathilde.

Pendant ce temps, dans la chambre de Mattéo, Emrys avait entrepris de raconter à ses amis ce qui s'était passé, plusieurs millénaires auparavant, dans la Laurasia, le pays des Géants, situé au nord du Gondwana.

$$\Psi$$

« Dans un fracas effrayant, des montées de lave jaillirent de la Terre. Arrachés au sol qui les avait vus naître et les avait nourris depuis des millénaires, les grands arbres qui assuraient un climat tempéré dans cette région du nord de la Laurasia furent précipités dans les fleuves et charriés vers le vaste océan.

« Quelques jours plus tôt, des tremblements de terre, d'abord légers, puis de plus en plus forts jusqu'à devenir extrêmement violents, suivis de grondements et d'horribles frémissements, avaient annoncé le cataclysme.

« Og, qui n'était encore qu'un jeune homme à l'échelle des Géants, puisqu'il n'avait pas tout à fait deux cents ans, se hâta vers les hauts remparts de Thulé, la ville-forteresse des Namlù'u, nom qui veut dire « homme primordial » dans la langue des Premiers Temps. »

Emrys s'interrompit pour apporter une précision :

— Le mot «géant» est d'origine grecque et signifie «né de la Terre». Selon les Grecs, les Géants sont les enfants d'Ouranos, une divinité qui personnifie le Ciel. C'est avec Gaïa, la Terre, qu'il engendra les Géants à partir de son propre sang lorsqu'il fut émasculé par son fils, le Titan Cronos.

— Ouch! protesta Mattéo. Ils avaient quand même des croyances bizarres, les Grecs!

— En fait, cette légende est une déformation de la véritable histoire des Namlù'u qui étaient hermaphrodites. Donc, effectivement, ils naissaient du sang des uns et des autres… mais comme les Grecs ne pouvaient concevoir que des êtres soient à la fois mâle et femelle, ils ont créé ce mythe. En plus de leur haute taille et de leur force, les Géants avaient d'autres particularités physiques: de longs et épais cheveux blancs et une peau si pâle qu'elle en avait l'air transparente. Bien, je reprends donc mon histoire.

«Depuis plusieurs centaines d'années, le peuple des Géants de la Laurasia n'avait connu que fumerolles, projections de vapeur d'eau ou de soufre. Même s'ils ne pouvaient vraiment pas s'habituer à ces manifestations de la Terre, ils avaient fini par s'en accommoder.

«Mais cette fois, Og avait remarqué une cassure du sol. En la suivant des yeux le plus loin possible, il avait constaté que la fêlure s'étendait jusqu'au sommet d'un des plus imposants volcans de la région. Cette montagne était en activité depuis des millénaires et déjà, lors des plus récentes éruptions, ses vastes coulées de lave avaient provoqué des morts parmi les Géants qui vivaient à ses pieds.

« Og n'était pas rassuré. En tant que surveillant des soubresauts de la nature, il devait prévenir le conseil et le roi Antée des importants changements qu'il avait constatés. Tous les instruments scientifiques qu'il avait installés pour surveiller les montagnes et les pitons étaient formels. Les éruptions étaient rapprochées, et d'une puissance comme jamais la Laurasia n'en avait connu.

« Il atteignait les remparts de la forteresse lorsque de furieuses explosions et des détonations assourdissantes retentirent. Il se retourna vivement et assista à de spectaculaires projections de cendres et de pierres en feu. En levant les yeux vers le sommet, il vit un fleuve de lave sanguinolente qui descendait lentement mais inexorablement vers la plaine. Le spectacle était de toute beauté, mais terrifiant.

« Cette fois encore, Thulé serait épargnée, car la cassure avait eu lieu sur le flanc opposé du volcan. Mais Og se demanda combien de temps encore ils y échapperaient. Depuis des semaines et des semaines, les éruptions se succédaient à un rythme alarmant. Le ciel, sombre de cendres en permanence depuis des dizaines d'années, ne laissait plus du tout filtrer les rayons de l'astre solaire. Thulé, située très au nord de la Laurasia, était devenue un vaste champ de glace. Les chutes de neige n'étaient plus l'exception, mais la règle. Les Géants grelottaient sur leurs terres qui petit à petit se transformaient en banquises. Leurs vêtements en peau de phoque et d'ours polaire suffisaient à peine à les garder au chaud, surtout la nuit, alors que la température atteignait des records de froid. Plusieurs nouveau-nés n'avaient pas survécu à ces conditions extrêmes.

« Og entra dans la forteresse au moment même où le roi Antée appelait le conseil des Namlù'u à siéger. Il était le plus jeune conseiller du roi, mais l'un des plus écoutés, car de ses avis dépendait désormais la survie du peuple des Géants. Og disposait de la connaissance des volcans, des geysers et des sources thermales. Il les étudiait avec patience et attention depuis plusieurs décennies et ses prédictions s'étaient toujours révélées justes. S'il annonçait un tremblement de terre, une éruption extraordinaire d'un nouveau geyser ou la dormance d'un volcan, les Géants étaient assurés qu'il disait vrai.

« Ce jour-là, lorsque Og pénétra dans la salle du conseil, tous purent lire sur son visage que les nouvelles étaient mauvaises. Jamais le surveillant des volcans n'avait semblé aussi pessimiste.

« Préoccupé, il écouta distraitement les rapports des autres conseillers, dont celui de son frère aîné Sikhon. Ce dernier se disait incapable de prévoir les phénomènes solaires depuis que les cendres obscurcissaient les cieux. Il ne pouvait plus analyser les voiles lumineux colorés qui, autrefois, illuminaient régulièrement le ciel nocturne du nord du continent.

« Puis, ce fut au tour de Talmaï de se plaindre. À cause des coulées de lave dans l'océan, qui réchauffaient les eaux, les cachalots ne venaient plus s'ébattre autour de Thulé. Il devenait pratiquement impossible désormais de trouver la moindre trace d'ambre gris. D'habitude, les concrétions intestinales parfumées du cachalot, provenant de la digestion de l'encre de seiches, étaient faciles à récolter sur les plages, car l'ambre gris flottait sur les eaux. Les Namlù'u se servaient de cette substance grasse et inflammable pour parfumer leurs résidences. Des odeurs boisées, de tabac ou fleuries étaient obtenues par le mélange de plusieurs essences odorantes à de l'ambre gris. Quant au gras des baleines si souvent utilisé pour l'éclairage, il ne fallait même plus y penser. Les mammifères marins demeuraient éloignés des rives, et il était impossible de les chasser, à moins de partir plusieurs jours en mer, vers des rivages inconnus.

« Bref, les conseillers du roi Antée disaient à peu près tous la même chose : la vie calme et sans souci qu'ils avaient connue autrefois s'achèverait sans aucun doute dans le chaos.

— Nos belles terres humides et grasses s'assèchent rapidement, convint Antée. Déjà, les beaux fruits qui y poussaient à profusion et assuraient notre subsistance tendent à disparaître.

— Notre terre se modifie, confirma Sikhon. Ici, au nord de la Laurasia, certains endroits tempérés deviennent de vastes plaines glaciales et aucune plante ne parvient plus à percer les couches de glace, de plus en plus épaisses, qui s'y forment.

— Dans ma région, enchaîna Anak, un Géant venu spécialement du sud pour assister au conseil, c'est le contraire ! Les sols se réchauffent trop et trop vite. Ils deviennent incultes. Nos belles forêts s'assèchent. Les fougères meurent et d'autres plantes font leur apparition, notamment des pins aux aiguilles acérées. Mais le pire, c'est que certaines régions se transforment inexorablement en déserts remplis de rochers. Les plantes ont disparu et ne retiennent plus le sable poussé par les vents.

— Chez moi, enchaîna un autre Géant, on ne peut déjà plus vivre. Notre contrée est devenue un vaste champ de roches dures qui ne nous fournit plus ni eau ni nourriture.

— Les nombreux cataclysmes qui secouent notre monde modifient à tout jamais le paysage et le climat, soupira Antée. Que pouvons-nous faire?

— Des bandes de terre commencent à se séparer et à s'éloigner dans le vaste océan. L'érosion faisant son œuvre détruit de vastes étendues de notre continent, ajouta encore Anak sur un ton où transparaissaient le désespoir et l'urgence.

— Hum! fit Og en se raclant la gorge pour réclamer la parole. Je ne vois qu'une solution. Nous devons abandonner Thulé et fonder une autre capitale, plus au sud, dans un endroit où notre survie sera assurée.

« Un grand silence succéda à ses paroles. Puis, tous les Namlù'u se tournèrent vers lui. La plupart affichaient un air atterré, voire hébété. Même s'ils avaient conscience du danger qui planait sur leur capitale, l'idée de la quitter semblait inconcevable à ces Géants qui avaient vécu dans le nord de la Laurasia depuis des générations.

« Seuls ceux venus du sud hochaient la tête en silence. Leurs villes étaient moins développées que Thulé, mais quelques-unes pouvaient, sans difficulté, accueillir plusieurs centaines d'habitants en plus.

— Si nous décidons de quitter Thulé immédiatement, insista Og, nous pourrons sauver notre technologie. Mais il nous faut agir vite et avec un grand sens de l'organisation.

« Og gardait ses grands yeux bleu de mer fixés sur le roi Antée. La décision lui revenait. Si Antée donnait l'ordre d'évacuer Thulé maintenant, rien n'était perdu. Mais plus il hésitait et pesait le pour et le contre, plus les éruptions volcaniques se feraient nombreuses et risquaient d'anéantir la majorité des habitants de la capitale. Tous les Namlù'u étaient suspendus à l'avis du premier d'entre eux.

— Je veux que l'on procède avec ordre et sans précipitation, laissa enfin tomber Antée en passant sa grosse main dans son épaisse chevelure blanche qui tombait en cascade sur ses larges épaules. Og, tu vas poursuivre tes inspections des volcans et des geysers. Tu devras nous tenir au courant au jour le jour de tous les changements significatifs alarmants que tu constateras. Talmaï et Sikhon, assurez-vous que les vimanas soient inspectés et réparés. Faites hâter la finition des nouveaux engins en chantier. Je veux que toute la flotte de nos machines volantes soit prête à nous transporter vers le sud. Toi, Anak, retourne chez toi et préviens les dirigeants des cités du sud de la Laurasia que nous nous installerons parmi eux. Tu veilleras à préparer notre venue et à faire agrandir les villes qui accueilleront certains d'entre nous. Je veux aussi que tu trouves un terrain propice pour y établir une nouvelle capitale. »

— Euh… excuse-moi, Emrys, fit Alixe, gênée d'interrompre un si passionnant récit. Tu parles de vimanas… Qu'est-ce que c'est exactement ?

— Oh… c'est vrai ! C'est une sorte, euh… de… de navette spatiale, si vous voulez. Les vimanas sont construits en forme de cônes et sont propulsés par l'énergie atomique pour les plus anciens. Toutefois, les Namlù'u, comme les Aryas, ont au fil du temps conçu d'autres techniques de propulsion faisant notamment appel à l'énergie solaire et à l'hydrogène.

— Hum ! Es-tu en train de nous dire que tes Géants des Premiers Temps se déplaçaient en… en soucoupes volantes ? s'exclama Mattéo qui n'en croyait pas ses oreilles.

— C'est à peu près ça ! fit Emrys.

Mattéo esquissa une grimace. Les dons de conteur d'Emrys avaient presque réussi à le convaincre de l'existence de ces Géants et de leurs technologies avancées, mais il n'adhérait pas du tout à l'idée des vimanas. L'histoire de la conquête spatiale avait démontré depuis les années cinquante que l'homme pouvait se déplacer dans l'espace, mais de là à imaginer que cela ait pu se passer plusieurs millénaires avant que le premier spoutnik fasse le tour de la planète, c'était trop lui demander.

— Je crois qu'on devrait aller retrouver nos parents en bas, proposa Alixe en constatant que son frère était en train de décrocher. On n'est jamais restés aussi longtemps dans nos chambres à discuter, mon frère et moi. Ils vont finir par se poser des questions sur ce que nous mijotons. Je suggère que demain, après le dîner, nous allions prendre un dessert au petit café du coin. Tu pourras y reprendre ton récit…

Emrys était déçu, mais il le cacha. Il acquiesça d'un signe de tête à la proposition d'Alixe. Les trois adolescents rejoignirent les deux adultes qui avaient fini de faire le ménage du rez-de-chaussée.

Arnaud proposa une partie d'échecs. Mattéo déclina l'offre. Il se faisait battre trop régulièrement pour éprouver le moindre plaisir à ce jeu. Emrys se porta volontaire pour affronter le père de ses amis et remporta deux parties d'affilée. Alixe fut stupéfaite de la façon dont son esprit, extrêmement logique et mathématique, parvenait à mettre au point des stratégies efficaces pour créer des ouvertures et gagner à tout coup.

CHAPITRE 7

Alixe, Mattéo et Emrys entrèrent dans le petit restaurant sur le coup des quatorze heures. En ce dimanche, le bistro était presque désert. Il faut dire que sa principale clientèle provenait de l'école secondaire toute proche. Il était donc bondé en semaine, mais très tranquille les week-ends et les jours fériés. C'était la raison qui avait motivé Alixe à proposer d'y poursuivre leur exploration du pays des Géants. Ils ne risquaient pas d'y être dérangés. Alixe et Mattéo prirent place d'un côté de la table, sur une banquette en similicuir rouge, et Emrys s'installa en face d'eux.

Ils commandèrent chacun un gros morceau de gâteau au chocolat qu'ils entendaient bien faire suivre d'un grand verre de lait crémeux. Emrys opta pour du lait de soja à la vanille.

— J'adore le gâteau Opéra qu'on sert ici ! s'exclama Alixe en se délectant de sa première bouchée.

Emrys la regarda en souriant. Puis, il s'étira par-dessus la table et, d'un geste tendre, essuya avec sa serviette en papier une petite moustache chocolatée qui venait d'apparaître aux coins de la bouche de la jeune fille. Leurs regards se croisèrent avant qu'Alixe ne détourne brusquement le sien, gênée, mais surtout étrangement subjuguée.

— Nous en étions où? lança abruptement Mattéo, mettant ainsi fin, à son insu, au jeu de séduction qui se déroulait entre Emrys et Alixe. Ah oui, les soucoupes volantes! Je trouve que là, tu exagères…

— Les vimanas étaient des appareils de transport, reprit Emrys sans se laisser démonter par l'ironie de Mattéo. Pour les déplacements quotidiens d'une partie à l'autre de la Laurasia, les Géants, comme les Aryas d'ailleurs, utilisaient plus volontiers des vailixis en forme de cigare. Ces engins étaient plus manœuvrables, plus silencieux et moins gourmands en énergie. Ils avaient également la capacité de voyager aussi bien dans les airs que dans l'eau.

Mattéo soupira, mais laissa Emrys poursuivre son histoire sans l'interrompre de nouveau.

«Au fur et à mesure que les vimanas étaient prêts, les Géants les chargeaient de tout le matériel technique qu'ils pouvaient emporter et les envoyaient par vagues successives vers le sud. Ils durent toutefois se résoudre à abandonner les immenses richesses de leurs sols. Les Géants exploitaient des mines qui leur fournissaient de l'or, de l'argent et du cuivre en très grande quantité. Ils avaient aussi à leur disposition d'incroyables gisements de gaz et de mercure, mais surtout de carburants fissiles comme le thorium, l'uranium, le plutonium et le lithium, qui sont plus abondants dans la croûte terrestre que l'or ou l'argent.

« Le conseiller Sikhon eut alors une idée incroyable :

— Pour ne pas perdre la trace de ces gisements exceptionnels, je suggère de planter dans le sol d'immenses pierres qui nous en indiqueront l'endroit précis… »

— Les mégalithes ? s'exclama Alixe.

Emrys confirma d'un signe de tête, sans cesser de narrer son histoire.

— Nous planterons verticalement d'immenses pierres pour indiquer les meilleurs filons de combustibles fissiles, proposa donc Sikhon. D'autres monuments constitués de pierres verticales supportant une dalle horizontale abriteront nos trésors. Nous pourrons venir les chercher plus tard si, un jour, les cataclysmes cessent, et si nos terres sont épargnées. »

— Les dolmens ? demanda Mattéo à sa sœur qui acquiesça de la tête.

« Sikhon était d'avis que ces monumentaux poteaux indicateurs pouvaient résister aux plus grands cataclysmes s'ils étaient solidement érigés et surtout placés aux bons endroits.

— Il faut en installer des milliers, insista-t-il. Ce serait bien un coup du sort si un raz-de-marée survenait et les balayait tous. Même chose en cas de tremblement de terre ou d'éruption volcanique... Toutes nos installations ne seront pas forcément détruites. Il suffira que nous retrouvions quelques pierres dressées et nous pourrons de nouveau avoir accès à nos trésors et à nos principales mines et sources d'approvisionnement.

« L'idée de Sikhon remporta un vif succès. Les Géants s'empressèrent donc de marquer les endroits les plus riches de leur territoire. Certaines pierres furent simplement alignées, tandis que d'autres, placées en cercle, avaient pour but de signaler un gisement particulièrement important. Lorsque des pierres de bonne dimension n'étaient pas à portée de main, les Géants les importaient d'autres régions. Ils devaient se hâter, et quelques endroits furent moins bien balisés que d'autres ; certains durent même être abandonnés sans être marqués. »

— Mais pourquoi n'ont-ils tout simplement pas dressé de cartes? s'étonna Alixe.

— Parce que la terre bouge. Les cartes auraient fixé les lieux, mais n'oublie pas que les Géants avaient constaté que certaines terres partaient à la dérive dans l'océan. Même encore aujourd'hui, les continents continuent de s'écarter les uns des autres. Par exemple, les plaques tectoniques de l'Atlantique bougent d'environ un à quatre centimètres par an actuellement, et celles du Pacifique, d'environ sept à dix-huit centimètres annuellement. Bref, la Terre est un gigantesque puzzle dont tous les morceaux bougent. Les Géants ont néanmoins gravé des disques sur lesquels ils ont conservé leurs connaissances géologiques. Ces archives font partie des savoirs perdus que les Aryas ont scrupuleusement mis à l'abri pour les générations futures.

« Donc, Sikhon dirigea l'érection des mégalithes. Comme les Géants étaient relativement nombreux et surtout immensément forts et intelligents, il ne fallut que quelques mois pour parsemer la Laurasia de pierres dressées. De toute façon, le temps pressait, il était hors de question de faire durer l'opération plus que nécessaire.

« En raison de la présence d'une quantité importante de soufre dans les cieux, Thulé commençait à étouffer. L'oxygène se raréfiait. Il fallait que ses habitants gagnent sans tarder des lieux plus cléments. Commença alors un incroyable exode. Des Géants par milliers prirent la direction du sud de la Laurasia.

« Les cieux se remplirent de vimanas de transport et de vailixis emmenant des milliers de passagers. On n'avait jamais vu une telle armada. Ce fut un spectacle étonnant. Les Aryas qui vivaient à la frontière du Gondwana et de la Laurasia n'avaient jamais imaginé qu'ils assisteraient un jour à un tel déplacement de population. Le ciel grouillait de machines volantes, on aurait pu croire à un immense essaim d'abeilles géantes qui déferlaient. C'était à la fois magique et terrifiant.

« D'ailleurs, Indra, le roi des Aryas, s'inquiéta de ces incroyables nuées d'objets volants. Il convoqua ses conseillers pour savoir ce qu'il convenait de faire.

— Si jamais il prend l'envie aux Namlù'u de franchir les limites de notre continent, nous n'aurons pas les moyens de nous opposer à eux, déclara le grand prêtre Agni, responsable des ressources énergétiques du Gondwana, ajoutant ainsi aux appréhensions du roi.

« Les Aryas possédaient les mêmes connaissances que les Géants, les mêmes armes, les mêmes véhicules spatiaux, mais en nombre beaucoup moins élevé. Depuis la nuit des temps, les deux peuples avaient vécu côte à côte, en s'ignorant. Les Aryas n'avaient donc pas jugé bon de se doter d'une flotte aérienne plus puissante que celle dont ils avaient besoin pour assurer leurs transports et leurs déplacements courants.

« Mais attention ! Il ne faut pas croire que les Géants étaient des êtres mauvais. Pas du tout. Ce fut plus tard que certaines légendes et croyances travestirent la vérité. Non, de tout temps, ils s'étaient simplement montrés indifférents à leurs voisins.

« Les Aryas du Gondwana et les Géants de la Laurasia n'avaient eu que très peu de contacts entre eux, du moins pendant les premiers millénaires des Premiers Temps. Chaque race vivait en ayant connaissance de l'autre, mais sans chercher à établir de liens particuliers. Chacune avait son territoire respectif, et tous vivaient heureux et en paix. Il n'y avait pas de raison pour que les deux peuples se côtoient.

« Mais selon Indra, cette situation pouvait bien changer. La descente vers le sud du roi des Namlù'u et de milliers de ses sujets ne lui inspirait que crainte et méfiance. Le souverain des Aryas redoutait que les Géants poussent leur exode jusque dans ses terres qui restaient fertiles. Elles étaient dépourvues de glace et offraient de bien meilleures conditions de vie que le sud de la Laurasia, qui s'asséchait peu à peu. Ces nouveaux arrivants pourraient ne pas se contenter des plaines et des savanes balayées par les vents chauds.

« La région où Antée avait choisi d'installer sa nouvelle capitale était cependant l'une des contrées les plus riches en or de la Laurasia. Là, son peuple et lui pourraient compter sur des ressources importantes de cuivre, de manganèse, de plomb, de zinc et d'antimoine. Les Géants disposeraient aussi de sources riches en sels minéraux, de lacs et de marais d'eau douce ou salée. Le climat y était sec, chaud en été, mais très froid en hiver.

— La région est sujette à des tremblements de terre, signala Og lorsque Antée lui fit part de son choix.

— Oui, je le sais. Mais nous n'avons pas vraiment le choix de nous établir à cet endroit, rétorqua le roi. Si nous restons près des côtes de la Laurasia, nous risquons de voir, un jour ou l'autre, notre nouvelle capitale submergée par les flots, ou encore le sol céder sous nos pieds. Nous serions alors emportés dans l'océan.

« Les Géants s'installèrent donc sur un plateau situé à environ mille mètres au-dessus du niveau de la mer, une immense steppe bordée au nord et au sud par deux grandes chaînes montagneuses.

« Anak, qui connaissait bien les lieux puisqu'il était responsable de la construction de la nouvelle capitale, fit une recommandation surprenante au roi Antée :

— En raison des nuits fraîches en été et du froid qui peut se montrer particulièrement vif en hiver, je considère que la nouvelle capitale namlù'u devrait être à demi enterrée dans le sol.

— Enterrée ! s'étonnèrent les membres du conseil.

— Construisons nos maisons serrées les unes sur les autres, et entourons-les d'une colline artificielle pour les protéger, suggéra Anak. Nous accéderons aux bâtiments par les toits, au moyen d'échelles et d'escaliers.

— Ton idée me fait penser aux villages troglodytiques que certains Namlù'u ont conçus à partir des grottes qui parsèment leur territoire, commenta Talmaï.

— C'est le même principe, confirma Anak. La capitale sera ainsi protégée des éléments. Il faudra que le plan prévoie des habitations étagées de manière à ce que chaque maison reçoive de la lumière et soit aérée. Nous évacuerons les eaux de pluie vers la rivière toute proche grâce à un système de gouttières en plâtre moulé.

— Tu as raison, Anak ! laissa tomber Antée. C'est notre seule chance de survie. Il faut laisser le temps à nos corps de Géants de s'adapter à nos nouvelles conditions de vie. »

Ψ

Emrys interrompit son récit pour avaler quelques gorgées de son lait de soja devenu tiède.

— J'ai oublié de vous dire que si les Géants ont ainsi pris la route de l'exil, ce n'était pas seulement à cause des volcans, de la glace et du froid qui rendaient les sols impropres à la vie. Ils avaient aussi une particularité génétique assez étrange, qui a fini par leur poser de graves problèmes, même si, dans les premiers millénaires, ce fut plutôt une grande chance pour eux.

Alixe et Mattéo, toujours silencieux, lui accordaient toute leur attention, alors il laissa tomber :

— Les Géants avaient une peau bleutée, mais surtout du sang bleu.

Alixe s'étouffa avec une gorgée bouillante de la tisane menthe-citron qu'elle venait tout juste de commander, tandis que Mattéo, fidèle à lui-même, s'exclama :

— Le sang bleu! Comme les nobles… Mais j'y pense, toi qui te dis « noble », as-tu le sang bleu, Emrys?

— Non. Je suis un Arya, pas un Géant! répondit très sérieusement Emrys, avant d'expliquer: la protéine chargée de transporter l'oxygène dans leur sang contenait des atomes de cuivre. Ce cuivre, en s'oxydant, donnait aux Géants un sang bleu-vert. Au contact de certaines bactéries, ces protéines se transformaient en gel. Un gel qui bloquait les infections, ce qui leur conférait une résistance physique incroyable.

— On peut dire qu'ils avaient une santé de… cuivre! lança Alixe, souriante.

— Ha! ha! ha! rigola encore Mattéo. Ils avaient du sang de navet, oui!

Voyant qu'Emrys semblait encore une fois déstabilisé par leurs remarques, Alixe s'excusa avant d'ajouter:

— Les pieuvres et les calmars ont le sang bleu, et on ne peut pas dire que ce sont des animaux sans énergie. Et Emrys vient de dire que cela leur a donné leur force considérable. Continue, Emrys, ne t'occupe pas de lui…

— Gnangnangnan! marmonna Mattéo en faisant les gros yeux à sa sœur.

Mais, au contraire de ce qu'Alixe croyait, ou espérait peut-être secrètement pour rester seule avec Emrys, son frère ne quitta pas le petit resto. Il s'enferma dans un mutisme boudeur. D'habitude, quand elle lui faisait une remarque qui ne lui plaisait pas, il s'esquivait pour ne pas avoir à l'affronter. Cette fois, il avait choisi un autre moyen de fuir : le silence.

— Où en étais-je, déjà ? reprit Emrys. Ah oui ! Savez-vous comment les Namlù'u avaient découvert les propriétés de leur sang ? Eh bien, effectivement, Alixe, en étudiant les animaux qui avaient le même sang qu'eux, surtout les limules…

Se rendant compte à ses regards qu'Alixe ne savait pas de quel animal il s'agissait, il précisa :

— Cet animal marin est aujourd'hui considéré comme un fossile vivant, car il a peu changé depuis les Premiers Temps. Et c'est vrai qu'il est bizarre avec sa carapace en forme de casque, ses yeux qui ne détectent que les objets en mouvement, ses crochets venimeux, ses pattes de crabe, sa longue queue en forme d'aiguillon… On peut encore le trouver dans les eaux peu profondes de l'Atlantique, près des côtes des Amériques, au Japon, aux Philippines, en Asie du sud-est. Vos savants ont aussi découvert les propriétés de son sang et s'en servent pour vérifier la présence de toxines dans les médicaments, en dialyse et dans le matériel chirurgical. Nous, nous avions découvert les propriétés du sang de limules il y a des milliers d'années. Bien entendu, nous l'avons utilisé, et presque de la même façon que vous.

— Wow! s'extasia Alixe, abasourdie.

— Les Géants avaient donc le sang bleu, reprit Emrys. Et ce sang, comme tu l'as si bien fait remarquer, Mattéo, est à l'origine de multiples légendes et croyances.

Relevant la tête, Mattéo tira la langue à sa sœur, comme pour signifier que sa remarque n'était pas si idiote, après tout.

— Dans certains mythes de Mésopotamie, d'Amérique latine et d'Inde, on représentait les dieux avec la peau bleue. Ce fut également le cas chez les Celtes. Les Thuatha Dé Danann étaient des dieux à peau bleutée. Pour que ceux-ci leur inspirent du courage et de la férocité, les guerriers celtes se peignaient souvent le corps en bleu avant d'aller à la bataille. Chez les Égyptiens, Thot, Amon et Shou étaient des dieux bleus. Pour les Sumériens, les premiers rois humains étaient issus de femmes mortelles et de dieux bleus. Donc, pour eux, le sang royal était bleu. Alors, oui, Mattéo, c'est peut-être là l'origine de l'expression «avoir du sang bleu», quand on parle de la noblesse européenne.

Le visage de Mattéo s'éclaira d'un large sourire et il cogna son verre de lait contre celui d'Emrys, tout en faisant un clin d'œil à

sa sœur. Une façon de lui dire : « Tu vois, hein ?
Pas si nul que ça, le p'tit frère ! »

CHAPITRE 8

« La peau bleue des Géants se révéla néanmoins un sérieux handicap lorsque vint le moment pour les Namlù'u de s'installer loin des brumes du nord de la Laurasia. Après le froid qui les avait chassés de Thulé, ils devaient maintenant affronter des températures beaucoup plus torrides. Leur carnation n'était pas adaptée à des conditions météorologiques aussi chaudes.

« Ceux d'entre eux qui vivaient depuis des générations dans le sud du continent, tels que le valeureux Anak, avaient acquis une pigmentation hâlée. Leur sang s'était même modifié. Au fil du temps, le cuivre, qui à l'origine leur donnait un sang bleu, avait été remplacé par du fer. Dorénavant, la source de vie qui parcourait leurs veines était rouge. Les Géants du sud avaient aussi vu leur chevelure prendre des teintes foncées, allant du châtain pâle au noir sombre, tandis que ceux du nord continuaient à arborer une épaisse toison blanche.

« Ainsi, pour Antée et ses troupes, la situation était loin d'être agréable, malgré le tableau idyllique que leur avait dressé Anak pour les convaincre de quitter Thulé et de se diriger vers le sud. Au moindre contact direct de leur peau trop pâle et fragile avec les rayons brûlants, c'était le coup de soleil assuré et tout son cortège de problèmes de santé. En attendant que la construction de leur nouvelle capitale soit achevée, le roi des Géants avait décidé que les Namlù'u du nord resteraient à l'abri dans leurs vaisseaux de transport. Pendant ce temps, Anak et les siens étaient chargés de bâtir la nouvelle capitale, appelée tout simplement La Colline, à cause de sa position sur un promontoire surplombant les marais environnants.

« Jour après jour, les constructeurs qui étaient sous les ordres d'Anak, qu'on avait fini par surnommer les Anakim, s'affairaient à fabriquer des briques de terre mélangée à de la paille ou du limon en provenance du fleuve tout proche. Ce mélange, déposé dans des moules de bois rectangulaires, donnait des briques crues de forme identique. Ces briques étaient ensuite séchées au soleil en attendant d'être utilisées, avec du mortier à base de chaux liée à de l'eau, pour construire les maisons destinées aux huit mille Namlù'u qui avaient choisi de s'y installer.

« Cette technique de construction très écologique offrait aux logis un réchauffement et un refroidissement lents, ce qui assurait une température presque constante à l'intérieur. De la même manière, les briques de terre crue permettaient aux occupants de vivre dans des logis respirants, d'éviter la condensation et de réduire les besoins de renouvellement d'air. Les Géants savaient que la terre capte ou restitue l'humidité en fonction de la moiteur ambiante. Elle absorbe aussi les odeurs et protège des champs magnétiques. Ces multiples avantages leur avaient fait adopter cette technique. Par ailleurs, leur forteresse sans rues à demi enfouie était à l'abri des vents déferlants.

— Comprimez un peu plus ! ordonna Anak, tandis qu'il inspectait le travail d'une centaine d'ouvriers maniant d'énormes presses destinées à chasser l'eau du mélange afin d'augmenter la solidité des briques.

— Nous commençons à manquer de bois ! Oui, je te le dis, je manque de bois, oui, c'est ça ! se plaignit Skoll, qui était affecté d'un trouble du langage qui lui faisait parfois répéter des mots ou des portions de phrases, surtout lorsqu'il était excité ou énervé.

« Skoll était un Anakim chargé de surveiller la construction de la capitale. Il était aussi responsable de la réserve de bois de cèdre, dont les ouvriers disposaient pour bâtir les armatures des maisons.

« En effet, chaque maison du village était érigée sur une charpente de bois, contre laquelle étaient installés les murs de briques crues jointées par un épais mortier à la chaux. Le toit était soutenu par des poutres sur lesquelles seraient couchés des fagots de roseaux, recouverts d'une couche de boue et d'une autre de finition, en plâtre. Les murs seraient percés de petites fenêtres dans leur partie supérieure. Les Géants décoreraient ensuite ces murs enduits de plâtre de bas-reliefs animaliers et de peintures représentant des scènes de la vie quotidienne. Les meubles en bois, en terre ou en pierre seraient constitués de banquettes pour s'asseoir et dormir, d'un four et d'un foyer.

« Skoll conduisit Anak près de la rivière, là où les Géants entreposaient leur bois, pour que ce dernier puisse se rendre compte par lui-même que les bâtisseurs seraient bientôt en rupture de stock.

— Il nous reste encore cent cinquante habitations à construire, mais je n'ai pas assez de troncs de cèdres… Non, c'est ça, pas assez. Pas du tout assez !

« Anak examina l'amas de bois en hochant la tête. Les Anakim avaient prélevé tout le bois des alentours. Le plateau ne comptait plus un seul cèdre debout.

— Ne peux-tu abattre quelques dragonniers? suggéra Anak en désignant un bosquet où se dressaient une dizaine de hauts arbres parasols.

— Non! Oh, non… Non, non, non! s'opposa Skoll. Sa résine rouge est trop précieuse pour la teinture. On ne doit pas dilapider cette ressource pour en faire de la charpente. Non, oh non! Non, non, non! Pas dilapider. Et puis, le bois de cèdre, en plus de son odeur agréable, peut aussi éloigner les insectes et les vers… C'est ça, éloigner les bestioles! Ce que nous n'obtiendrons pas avec d'autres essences de bois. Non, non, non, pas avec d'autres essences!

— Bon, eh bien, que suggères-tu? soupira Anak. Car j'imagine que si tu tiens tant au cèdre, c'est que tu as une petite idée de l'endroit où en trouver?

— Oui, c'est ça, oui… Je sais! Dans la Forêt sacrée des Cèdres…, répondit Skoll avec un enthousiasme qu'Anak ne partageait pas forcément.

« En effet, en entendant ces mots, les traits de géant d'Anak s'affaissèrent. La Forêt sacrée des Cèdres se situait au Gondwana. Aux limites de la Laurasia, certes, mais bel et bien en territoire étranger.

— Je ne veux pas de conflits avec les Aryas ! le prévint fermement Anak. Il faudra leur demander l'autorisation de prélever quelques arbres chez eux, mais je doute qu'ils acceptent. Cet arbre est sacré pour eux. Dans leur langue, ils l'appellent le « bois des dieux ». Et puis, ça fait des centaines d'années que nous n'avons plus affaire aux Aryas... On ne sait pas ce qu'ils sont devenus. Peut-être sont-ils belliqueux et risquent-ils de nous causer bien du tort !

— Non, pas du tout, pas du tout belliqueux ! poursuivit Skoll, très excité. Mon cousin Hobab habite tout près de la Forêt sacrée des Cèdres. Il est le surveillant de la frontière entre la Laurasia et le Gondwana. C'est ça, le surveillant ! Il saura nous guider par des chemins secrets dans le labyrinthe de la forêt. C'est ça, oui, il va nous guider. Lorsque les Aryas auront connaissance de notre incursion sur leur territoire, nous serons déjà partis depuis longtemps. Oui, c'est ça, partis ! Partis depuis longtemps ! Ne t'inquiète pas, Anak.

— Ne t'inquiète pas, ne t'inquiète pas ! Si, justement, je m'inquiète, fit Anak qui, à son insu, s'était mis à reproduire le langage assez étrange de Skoll. Que ferons-nous si nous sommes surpris par les Aryas ?

— Eh bien… euh! Nous nous sauverons à toutes jambes! C'est ça, oui, nous nous sauverons! s'exclama Skoll avec un grand sourire.

« En silence, Anak se mit à maudire l'impulsivité du bâtisseur qui ne lui avait pas fait prendre en compte tous les aspects du problème avant de suggérer de se rendre au Gondwana.

— Je préfère demander leur avis au roi Antée et au conseil des Namlù'u, répondit finalement Anak, qui était sûrement le plus sage des Géants du sud.

« Les deux Anakim se hâtèrent donc de demander audience à Antée qui surveillait les travaux à distance, en jetant parfois un regard impatient sur les écrans de son vailixi de luxe.

— C'est trop risqué! fut la première réponse d'Antée lorsque Anak lui expliqua leur intention.

— Nous serons silencieux et rapides, certifia Skoll. Rapides et silencieux! Mon cousin Hobab nous servira de guide, il n'y a rien à craindre… rien à craindre. Il connaît la contrée comme le fond de sa poche. Oui, c'est ça, comme le fond de sa poche!

« Talmaï, qui faisait partie du conseil avec les frères Og et Sikhon, écoutait les arguments d'Anak et les agitations de Skoll en hochant la tête. Visiblement, il n'approuvait pas cette expédition.

— Pour un peu de bois, on risque de déclencher une guerre entre les Namlù'u et les Aryas… Le jeu n'en vaut pas la chandelle, laissa-t-il tomber d'un ton tranchant.

— Si nous n'avons pas de cèdres… c'est simple ! Oui, oui, très simple : il n'y aura pas assez de maisons pour vous recevoir tous, reprit Skoll. La Colline ne sera jamais rien d'autre qu'un gros village. C'est ça, un gros village ! La plupart des anciens habitants de Thulé devront se disperser dans d'autres petites villes du sud… C'en sera fini de ton idée de capitale. Pfff, finie, partie, disparue, oubliée…

« Anak lui donna un coup de coude pour l'empêcher de continuer avec sa litanie de synonymes.

— Si nous perdons contact les uns avec les autres, bientôt les Namlù'u ne formeront plus un seul et même peuple, mais bien des tribus dispersées… avec le risque que chacune voudra faire sa loi sans plus te consulter, Antée, prévint Anak.

— Og, Sikhon… votre avis ! fit Antée en se tournant vers les deux frères.

— Nous devons rester unis, déclara Og. Ceux qui viennent de Thulé sont fragilisés par leur constitution physique. Si nous les dispersons dans d'autres villages, plusieurs ne trouveront pas les conditions idéales pour assurer leur survie…

— Par contre, enchaîna Sikhon, si nous construisons notre capitale selon les plans prévus, nous avons une chance de nous adapter lentement à notre nouvel environnement.

— Et si nous demandions aux Aryas de nous fournir du bois ? suggéra Talmaï, sûrement le plus prudent des Géants. Envoyons-leur des ambassadeurs pour négocier.

— Temps perdu, temps perdu ! s'exclama Skoll, surexcité. Ils vont refuser, j'en suis sûr… Oui, j'en suis sûr, certain, convaincu, persuadé… Et les travaux, hein ? Les travaux… suspendus…

— Plusieurs d'entre nous devront continuer à vivre dans l'inconfort des vimanas et des vailixis, compléta calmement Anak.

— Et qui sera assez téméraire pour se rendre chez les Aryas ? Qui, hein, oui, je vous le demande, qui ?

— J'irai ! s'écria Og, autant pour se porter volontaire que pour mettre fin à l'excitation incontrôlée de Skoll.

— Talmaï t'accompagnera, puisque c'est lui qui a eu l'idée d'envoyer cette délégation, ajouta Antée, tandis que le principal intéressé déglutissait lentement, effaré par la nouvelle.

« L'extrême prudence de Talmaï pouvait quelquefois être confondue avec de la peur. Mais Og, malgré l'air abattu qu'affichait son compagnon, savait que ce dernier saurait se montrer à la hauteur, peu importe les circonstances. Seule la surprise avait empêché Talmaï d'exprimer son accord.

— Skoll, préviens ton cousin de l'arrivée des émissaires. Il devra les conduire au Gondwana.

« Le bâtisseur s'inclina. La décision d'Antée était prise et incontestable. Tous devaient s'y soumettre. C'était l'une des particularités du gouvernement des Namlù'u. Toute proposition était soumise au conseil des Géants pour y être débattue. Tous les avis étaient les bienvenus. Les idées étaient écoutées, examinées, discutées. Mais une fois que le roi avait rendu son jugement, il n'était plus possible de revenir en arrière et de le contester. Son avis prenait immédiatement force de loi, que ça plaise au peuple ou non.

— Bien, bien ! se soumit Skoll. Je lui envoie un messager en vailixi… Oui, un messager ! Un messager…

— Non. Pas de messager ! l'interrompit le roi. Je t'accorde une autorisation spéciale, tu peux utiliser la télépathie.

« Les Géants, comme les Aryas, avaient mis au point un système de communication qui permettait d'utiliser la force de la pensée. Ils n'avaient donc recours à aucun appareil pour se contacter les uns et les autres. Ce système était particulièrement efficace pour relier les membres d'une même famille. Toutefois, ils ne l'utilisaient que pour communiquer à distance et avec autorisation, jamais dans leurs échanges rapprochés. Ils avaient en effet compris que si chacun se mettait à utiliser la transmission de pensée à tort et à travers, cela n'aurait pour effet que de compliquer les communications. Non seulement les ondes se brouilleraient, mais les messages risquaient davantage de se perdre. En conséquence, une loi avait interdit l'usage intempestif de la télépathie, à moins d'autorisation du roi ou d'un membre du conseil.»

— Waouh! s'enthousiasma Mattéo. Tu peux faire de la télépathie! Vas-y! Vas-y! Je pense à quoi en ce moment, là, à l'instant?

Emrys le fixa intensément pendant quelques secondes, mais ne répondit pas immédiatement. Puis, d'un ton très calme, il déclara:

— Les Aryas se servent de la télépathie avec discernement, Mattéo, pas pour faire des tours de singe savant…

Alixe dévisagea son frère. C'était le genre de remontrances qu'il n'appréciait pas particulièrement d'ordinaire, mais cette fois l'adolescent baissa la tête et sembla s'avouer vaincu.

La jeune fille se tourna vers Emrys: il affichait un air neutre. Puis, elle crut saisir ce qui se passait. Emrys avait apparemment dit quelque chose à Mattéo en utilisant la force de sa pensée. Pendant une fraction de seconde, elle se sentit exclue par les deux garçons. Mais presque aussitôt, dans son cerveau, elle perçut un fluide apaisant. Des mots rassurants prirent forme dans son esprit.

En scrutant le visage d'Emrys, elle vit une lueur brillante traverser ses yeux noirs. Elle se sentit encore une fois subjuguée par ce regard si intense. Une douce chaleur caressa son visage. Elle se troubla et rougit en se rendant compte qu'Emrys était en train d'effleurer délicatement ses lèvres… en pensée! C'était agréable, mais terriblement gênant.

Elle ne savait comment réagir, car, bien entendu, elle n'avait jamais eu à gérer un baiser par télépathie. Comment le rendre? Comment montrer qu'elle appréciait le contact? Elle mordilla ses lèvres…

Ses yeux accrochés à ceux d'Emrys en disaient beaucoup plus à l'adolescent que le flot de paroles et de sentiments qui submergeaient ses pensées. Il pouvait lire en elle comme dans un livre ouvert.

Un sourire lui apprit qu'il savait tout des émotions qui l'agitaient à ce moment précis. Elle en fut à la fois réjouie et confuse. Avec Emrys, il ne lui serait désormais plus possible de préserver son jardin secret. C'était excitant, mais aussi très effrayant. Il avait accès à leurs moindres pensées, à sa guise.

CHAPITRE 9

« Les cimes des arbres aux feuilles immenses formaient une voûte compacte de végétation luxuriante. Le vailixi piloté par Og se déplaçait silencieusement, à vitesse modérée. Les trois passagers étaient attentifs au paysage qui défilait sous leur vaisseau. Ils devaient surtout se méfier de quelques arbres, plus hauts que les autres, qui émergeaient çà et là de la voûte. À travers la couronne végétale, les deux voyageurs supposaient que la lumière s'infiltrait jusqu'au sol. Pour avoir une idée de ce qui se passait dessous, ils devaient cependant se fier entièrement à leurs instruments de repérage. Rien n'était décelable à l'œil nu à travers la canopée*.

— Il faudrait se poser rapidement ! déclara le prudent Talmaï. Si la technologie des Aryas n'est pas aussi développée que la nôtre, notre engin risque de les effrayer.

— Ne t'inquiète pas tant ! lui répondit leur guide, Hobab. Je connais bien le secteur. Il est désert. Ce n'est qu'une grande forêt tropicale remplie d'animaux et d'insectes. Quand nous serons près du poste avancé de surveillance arya, je vous le signalerai.

— Hum! Moi, je ne suis pas tranquille! grommela Talmaï. S'ils pensent que nos intentions sont hostiles, ils peuvent nous attaquer par surprise. En tout cas, c'est ce qu'Antée ferait à la place de leur roi.

— Rassure-toi! fit calmement Og. À la première trouée sécuritaire, j'atterris. Nous ferons le reste de la route à pied…

— À pied! jetèrent en chœur Hobab et Talmaï.

— Oui. S'ils sont inamicaux, je ne veux pas qu'ils puissent s'emparer de notre véhicule, expliqua Og. Et puis, en nous voyant arriver à pied, ils comprendront que nous ne venons pas en ennemis… Du moins, je l'espère!

— Moi aussi, je l'espère! J'ai beau avoir de grandes jambes, je n'ai jamais dû fuir des Aryas furieux à la course! répliqua Hobab.

— D'habitude, tu pénètres au Gondwana en vailixi? l'interrogea Talmaï.

« Il n'en revenait pas de la témérité de leur guide.

— Oui, bien entendu! Je suis le surveillant de la frontière, alors je fais des patrouilles de temps à autre. Mais je n'ai jamais eu affaire à eux. J'imagine qu'eux aussi viennent parfois chez nous, en reconnaissance. On ne s'est jamais croisés.

— Ah, voilà! les interrompit Og, désignant son écran sur lequel apparaissait une sorte de clairière assez dégagée où ils pourraient se poser en toute sécurité.

— C'est bizarre! On dirait une piste d'atterrissage bien délimitée, commenta Talmaï.

— Peut-être est-ce l'endroit utilisé par les Aryas pour poser leurs propres véhicules de reconnaissance? enchaîna Hobab. Par contre, le sol ne comporte aucun dessin pour indiquer les meilleures approches, comme ça se fait chez nous!

— Allez, on y va! Comme il n'y a pas de balise pour utiliser le système de repérage mental, je procéderai à un atterrissage manuel.

« Og appuya sur quelques touches situées sur un panneau de contrôle. En temps ordinaire, en Laurasia, il se serait simplement connecté mentalement aux bornes qui délimitaient les aires d'atterrissage pour se poser en douceur. Mais dans cet environnement inconnu, il préférait faire appel aux vieilles méthodes qui avaient fait leurs preuves par le passé. Talmaï apprécia sa prudence.

« En tant que guide, Hobab fut le premier des trois Géants à mettre pied à terre. Il resta sur le qui-vive pendant de longues secondes, scrutant attentivement les bruits de la forêt, tous ses sens aux aguets. Il perçut le glissement de la peau écaillée des serpents et des lézards sur les branches. Il entendit le coassement des grenouilles et des crapauds qui peuplaient un plan d'eau stagnante non loin. Puis, il distingua les frôlements de mammifères aux aguets. Des pépiements d'oiseaux effarouchés lui firent lever les yeux au ciel. Il capta le bourdonnement furieux d'insectes dérangés dans leur butinement. Des hurlements de singes répondirent à d'autres cris stridents. Tout était normal, la forêt retentissait d'une cacophonie rassurante.

« Il fit un signe à Og et à Talmaï qui attendaient son avis pour sortir de l'engin.

— Rien à signaler ! déclara-t-il en repoussant du pied des amas de matières organiques en décomposition.

— J'active la protection visuelle ! prévint Og, tandis que Talmaï sautait hors du véhicule.

« Aussitôt que les trois Namlù'u eurent quitté son bord, le vailixi se mit à vibrer. Puis, une éclatante lumière blanche l'entoura pendant quelques secondes. Ensuite, il n'y eut plus rien. Il était devenu invisible. Seul un manque de transparence, qui empêchait de discerner les troncs d'arbres derrière l'engin, pouvait laisser deviner sa présence dans la clairière. Mais il fallait un œil averti pour le trouver, à moins de le heurter par hasard.

« Les ambassadeurs se mirent en route, écartant les lianes qui leur barraient parfois le chemin. Des effluves de fleurs enivrants, mêlés à une forte odeur plus âcre de végétaux en décomposition, les entouraient de toutes parts. Ils reconnurent les petites fleurs bleues des bégonias sauvages. Prenant garde où ils posaient les pieds, ils contournèrent des lobélies géantes à l'imposant plumeau rouge. Çà et là, de splendides orchidées se découvraient avec précaution. Des oiseaux-mouches multicolores voletaient autour d'eux sans leur accorder trop d'attention.

« Tout à coup, un incroyable touraca bleu à huppe pourpre releva son gros bec jaune sur leur passage. De sa gorge violette s'échappa un cri d'alarme qui figea les trois Géants sur place pendant quelques secondes. Ils entendirent détaler de petites antilopes, et quelques singes hurleurs se précipitèrent vers la canopée en criant à leur tour. Toutefois, il n'y eut aucun signe de présence arya. Ils poursuivirent lentement leur route en portant une attention toute particulière à cette végétation spectaculaire qu'ils ne connaissaient pas.

« Og examina une plante aux feuilles monstrueuses qui poussait comme une liane, en grimpant le long de certains arbres. Il remarqua la fleur blanche qui apparaissait à son sommet. C'était magnifique.

« Talmaï se pencha sur une autre espèce qui affichait de solides pétioles montant jusqu'à sa poitrine. Il calcula que les immenses feuilles qui y pendaient devaient bien faire un tiers de sa taille de Géant.

— C'est le paradis, ici ! déclara Og. Nous n'avons pas de telles plantes en Laurasia. Cette forêt est très humide et permet l'apparition d'espèces inconnues chez nous.

— Au retour, nous devrions ramasser des graines et des boutures, suggéra Talmaï. Peut-être que ça pousserait aux alentours de La Colline.

— J'en doute ! soupira Og. L'environnement de notre nouvelle capitale est trop sec, malgré les marais autour du plateau. Mais, tu as raison, nous prélèverons des échantillons. Peut-être que, par croisements, nous parviendrons à adapter certaines espèces aux conditions de notre région.

« Les Géants marchèrent pendant des heures. Parfois, ils grimpaient de longues pentes, avant de parvenir à un semblant de plateau et d'être de nouveau obligés d'emprunter des dénivelés vertigineux. Ils arrivèrent finalement à un grand lac aux eaux bleues et calmes où ils se rafraîchirent. Le lac était bordé d'arbres aux troncs enchevêtrés dont les fruits leur parurent comestibles.

« Hobab tendit la main, écarta les feuilles et ramena un petit fruit vert qu'il croqua. Il en apprécia la texture granuleuse et le goût sucré. Mais aussitôt, de terribles démangeaisons à la main lui indiquèrent que l'arbre savait protéger ses fruits : les feuilles étaient piquantes comme des orties.

— C'est bon, confirma-t-il, mais attention, les feuilles savent se défendre.

— À quelle distance sommes-nous de la première cité arya ? s'enquit Og en récoltant quelques fruits à son tour.

— En vailixi, je dirais une soixantaine de minutes, mais à pied, peut-être une bonne douzaine d'heures.

« Og le dévisagea. La distance lui semblait colossale.

— Eh oui ! Tu t'es posé un peu loin, quand même ! lui reprocha Hobab.

— Alors, ne nous attardons pas ! conseilla Talmaï.

« Les Namlù'u reprirent leur route vers le sud. La forêt tropicale ne leur permettait pas d'avancer rapidement, car ils devaient tracer leur propre chemin à travers l'épaisse végétation. Il n'y avait aucun sentier pour les mener vers l'intérieur du pays. Hobab devait aussi de temps à autre faire le point sur leur position, en utilisant une version portative de l'appareil d'orientation qu'ils avaient utilisé à bord de leur vaisseau. Durant tout leur périple, ils furent escortés par une multitude de cris d'animaux et de bourdonnements d'insectes, mais ils ne décelèrent aucune présence arya.

— Eh bien, soit ils sont sûrs de leurs systèmes de défense et ne nous craignent pas, commenta Og, soit ils sont aveugles et sourds.

— Jamais le roi Antée ne laisserait des Aryas pénétrer dans la Laurasia aussi facilement que nous le faisons ici, au Gondwana, confirma Hobab.

— Restons sur nos gardes! répliqua Talmaï, toujours si superbement avisé.

« Après douze heures et demie de marche, Hobab fit signe à ses amis de s'arrêter.

— On s'est perdus? demanda Talmaï, inquiet.

— Non, pas du tout! répliqua Hobab d'un ton bourru. La cité arya est là, droit devant.

« Il était apparemment contrarié que son compagnon puisse mettre en doute ses capacités de guide.

— Je ne vois rien! poursuivit Talmaï.

— Ouvre les yeux…, soupira Hobab.

« Les Namlù'u abandonnèrent leurs facultés ordinaires pour se concentrer. Leurs capacités mentales prirent la relève de leurs fonctions naturelles. Ils virent alors apparaître, derrière un épais rideau d'arbres, de lianes et de plantes géantes, une base carrée légèrement pyramidale surmontée d'une structure octogonale. Le bâtiment de marbre blanc était bordé de deux petites tours rondes, coiffées d'une statue représentant un auroch pour l'une et un lion ailé pour l'autre. Pour accéder à la colonne octogonale, il fallait emprunter une rampe à arcades. Tout autour, les Géants distinguèrent d'autres petits édifices : les habitations et les entrepôts des Aryas.

« Au sommet de cette première colonne s'étendait une terrasse bordée d'une haute rambarde. Aux quatre coins, des sculptures en forme de dragons ailés étaient chargées d'éloigner les eaux de pluie du bâtiment. Du centre de la terrasse s'élevait une autre tour octogonale plus petite menant à un second étage. Une troisième tour, cylindrique cette fois, supportée par des colonnes et chapeautée d'un petit dôme, soutenait une statue plaquée or du roi Indra.

— Bien, bien, bien ! fit Og, songeur. Les Aryas ne sont donc pas des êtres stupides et sans savoir architectural.

— Puisqu'ils ont construit un tel bâtiment, ils ont probablement les mêmes connaissances que nous, confirma Talmaï. Reste à savoir s'ils utilisent la même technologie ou si la leur est plus évoluée que la nôtre.

— Tout a l'air calme dans leur cité, fit Hobab. Je distingue des allées et venues d'aurochs lourdement chargés, mais aucun Arya. Où sont-ils donc passés ?

— Ils n'ont pas détecté notre présence, ou alors, ils ne sont vraiment pas nerveux…, répondit Og.

— Que faisons-nous ? s'inquiéta Talmaï en dansant d'un pied sur l'autre. Nous ne savons même pas de quoi ils ont l'air. Peut-être ne sommes-nous pas plus gros que des puces à leurs yeux ?…

« Hobab éclata de rire.

— Mais non, ne t'inquiète pas. J'en ai déjà aperçu de loin pendant mes patrouilles. Ils sont petits… À peu près la moitié de notre taille, pas plus !

— Tu le dis toi-même, tu les as vus de loin ! C'est peut-être la distance qui t'a fait croire qu'ils étaient petits, marmonna Talmaï sur un ton peu rassuré.

— Je te répète que nous n'avons rien à craindre ! fit Hobab.

— Je n'en suis pas si convaincu ! Nous ne sommes que trois. Et eux, ils peuvent être des milliers dans cette… euh… termitière, reprit Talmaï, faisant référence à l'étrange construction qu'ils avaient devinée à travers la dense végétation.

— Allez, un peu de courage, que diable! fit Hobab en plaquant sa main dans le dos du Géant prudent pour le forcer à prendre la tête de leur groupe.

« Les trois ambassadeurs écartèrent l'épaisse végétation et se dirigèrent vers la cité des Aryas en se demandant quel accueil leur serait fait.

« Quelques minutes plus tard, les Géants débouchèrent enfin sur une immense esplanade déserte. La place était ceinte de colonnes où trônaient des statues zoomorphes*. En y regardant de plus près, Og remarqua qu'il s'agissait de lions à face de singe. Disposés à intervalles réguliers entre les piliers s'épanouissaient de grands palmiers majestueux.

« Comme personne ne les menaçait, les Namlù'u s'enhardirent. Ils s'avancèrent jusqu'au centre de la grand-place constituée de dalles de marbre blanc, éblouissantes au soleil. Ébahis, ils se perdirent dans la beauté de l'architecture et de l'art aryas.

« Tout à coup, une voix puissante venue d'un endroit indéterminé les tira en sursaut de leur contemplation.

— Que voulez-vous? Parlez et partez!

« Ils eurent l'impression que la voix venait de partout à la fois. Le ton était ferme, même s'il n'était pas menaçant. Og tourna sur lui-même pour déterminer dans quelle direction se trouvait son interlocuteur.

— Voyez! Nous sommes désarmés. Nous sommes venus en voisins, en amis, pour discuter. Vous pouvez vous montrer. J'ai horreur de m'adresser au vide! laissa-t-il tomber.

« Un grondement venu de sous leurs pieds fit reculer vivement les Géants. Une dalle de marbre pivota vers l'intérieur de la terre, livrant un étroit passage à une forme transparente instable et flottante. Elle avait à peu près la taille des trois voyageurs, c'est-à-dire entre trois et quatre mètres.

— Je suis Indra, le roi des Aryas! fit la forme transparente qui ressemblait à une sculpture d'eau.

— Je dirais plutôt que vous êtes son image, corrigea Og, qui ne se laissait pas si facilement déstabiliser.

— C'est exact! confirma l'Arya. Je me trouve à plusieurs centaines de lieues d'ici. Votre arrivée surprise ne m'a pas laissé le temps de me rendre à Khass pour vous accueillir en personne. Que puis-je pour vous?

« Les trois Géants s'entre-regardèrent. Ils avaient imaginé plusieurs types de rencontres avec les Aryas, mais ils n'avaient certes pas envisagé de discuter avec une image. Et le plus surprenant, c'était qu'hormis les animaux de bât qu'ils avaient vus transporter de la marchandise, il n'y avait pas âme qui vive dans cette splendide cité, qu'Indra avait appelée Khass.

Hum! Je n'aime pas ça! fit Talmaï, se servant cette fois de la télépathie pour transmettre ses remarques à ses compagnons.

« Hobab et Og ne lui donnèrent pas tort. Ce dernier recommanda aux deux autres de rester sur leurs gardes et surtout d'être prêts à détaler si les choses se compliquaient.

— Nous sommes des ambassadeurs namlù'u, déclara Og en s'adressant à Indra.

— Je sais qui vous êtes, fit l'entité aquamorphe*. Nous vous suivons depuis que vous avez franchi illégalement notre frontière.

— Eh bien, puisque vous semblez bien nous connaître, vous savez sans doute que nous sommes venus avec des intentions pacifiques, reprit Og.

— Cela reste à prouver, répliqua l'image d'Indra. Quel est l'objet de cette visite… pour le moins surprenante? Voilà des siècles que les Aryas et les Namlù'u s'ignorent, et je ne vois aucune raison pour que les choses changent.

— Nous avons dû abandonner notre capitale, Thulé, en raison de conditions volcaniques et sismiques devenues intolérables et menaçantes pour notre survie. Nous sommes venus nous installer dans le sud, plus près du Gondwana…, expliqua Og, qui se sentait mal à l'aise de s'adresser à une représentation du roi Indra plutôt qu'au souverain en personne.

— Libre à vous! l'interrompit Indra. Tant que vous respecterez nos frontières et que vous vous comporterez avec respect, nous ne nous mêlerons pas de ce qui ne regarde que vous, Géants. Mais j'imagine que vous n'êtes pas venus simplement pour nous dire que vous bâtissiez une nouvelle capitale…

— Ah! Vous êtes au courant! s'exclama Talmaï.

— Vous pensiez sérieusement que nous ne regardions pas ce qui se passe autour de nous? reprit Indra sur un ton ironique. Vous faites des incursions chez nous… et nous en faisons chez vous, je le reconnais! Tant que vos Explorateurs et les nôtres ne se rencontrent pas et ne s'affrontent pas… il n'y a pas de problème!

— Vous avez donc peut-être compris que nous manquions de bois pour terminer La Colline, poursuivit Og. Nous sommes venus vous demander la permission d'en couper au Gondwana… En échange, nous pourrons vous fournir de l'or ou toute autre ressource naturelle de la Laurasia que vous pourriez demander en compensation.

— Vous manquez de bois. Oui. Mais pas de n'importe quel bois, il me semble ! Si vous aviez besoin d'ébène, d'iroko… nous vous en fournirions avec plaisir. Mais je crois que ce sont nos cèdres qui vous attirent… et je vous le dis sans détour, c'est non !

« Og, Talmaï et Hobab sentirent le découragement tomber sur leurs épaules. L'ébène, l'iroko étaient des bois de grande valeur, mais le cèdre en avait encore plus à leurs yeux… et visiblement aussi à ceux des Aryas. Les Géants, abasourdis, demeurèrent silencieux. L'Arya paraissait intraitable.

— Repartez chez vous, ambassadeurs namlù'u, et prévenez le roi Antée que ma décision est sans appel.

« L'image se désagrégea et la plaque de marbre blanc reprit sa place. La discussion était close. Les trois Géants restèrent figés de stupeur. Ils n'avaient même pas eu le temps de plaider leur cause.

— Retournons au vailixi, fit Og, qui fut le premier à reprendre ses esprits.

— Mais…, balbutia Hobab.

« Og lui jeta un regard de travers pour lui ordonner de se taire. Le guide comprit aussitôt que leur chef de groupe avait une idée en tête et qu'il la leur exposerait lorsqu'ils seraient à l'abri des oreilles indiscrètes, dans leur vaisseau.

« Ils repartirent donc par le chemin qu'ils avaient emprunté à l'aller. Les traces de leur passage étaient faciles à suivre et, cette fois, le sentier bien dégagé leur permit d'avancer beaucoup plus rapidement. Ils veillèrent à ne pas communiquer les uns avec les autres, ni par l'esprit ni par la parole. Les propos de l'Arya leur avaient clairement révélé que leurs communications, par la pensée ou de vive voix, étaient espionnées.

« De retour à bord de leur vailixi, Og activa un système de brouillage particulièrement efficace. Il s'agissait d'empêcher quiconque d'interroger leurs ondes cérébrales ou d'intercepter leurs échanges.

— Que proposes-tu ? s'enquit Talmaï, aussitôt qu'Og eut indiqué que leur vaisseau était sécurisé.

— Retournons à La Colline, déclara ce dernier.

« Les deux autres eurent un mouvement pour manifester leur désaccord, mais le chef de groupe enchaîna :

— Nous pouvons peut-être changer d'essence de bois. Le teck a les mêmes propriétés antiparasitaires que le cèdre, et il est même beaucoup plus solide. Je suis sûr qu'Indra se fera un plaisir de nous en faire parvenir si cela peut épargner ses chers cèdres sacrés.

— Je suis d'accord avec toi, approuva Talmaï. Proposons à Skoll d'employer du teck. Il faudra sans aucun doute le faire venir des limites les plus reculées du Gondwana, mais en changeant de bois, nous pouvons éviter de nous créer des ennuis avec les Aryas.

— Vous vous trompez tous les deux, intervint Hobab. Indra refusera de nous aider. Sinon, il aurait proposé lui-même de nous fournir du teck. Nous devrons nous servir nous-mêmes, en nous passant de sa permission.

— Eh bien, il n'y a qu'un moyen de trancher cette épineuse question entre le cèdre et le teck, si j'ose dire. C'est de demander à Skoll et au roi Antée ce qu'ils en pensent, déclara Og.

$$\Psi$$

« Par télépathie, les trois ambassadeurs exposèrent leur dilemme à leur roi et à Skoll, le bâtisseur. Après s'être réuni, le conseil des Namlù'u recommanda à Antée de ne pas se laisser impressionner par les Aryas.

— *Si nous cédons aujourd'hui devant eux pour une question de bois, dans l'avenir, nous pourrions avoir à plier l'échine pour d'autres raisons*, déclara Antée lorsqu'il communiqua avec Og pour lui faire part de sa décision. *Je*

vous ordonne donc de vous rendre dans la Forêt
sacrée des Cèdres pour sélectionner les arbres qui
vous sembleront les plus solides. Je vous envoie
un vimana de transport pour charger les troncs.

« Aussitôt l'ordre reçu, Og décolla. Au lieu de prendre la direction du nord, il se dirigea vers l'est, en espérant que les Aryas n'abattraient pas son vaisseau en plein vol. Car, à en juger par ce qu'il avait vu à Khass, les Aryas devaient disposer de moyens de dissuasion aussi efficaces que ceux des Géants.

« Hobab connaissait bien la région pour l'avoir survolée à de nombreuses reprises. Il indiqua un superbe lac près duquel poser leur engin. Il s'agissait d'une petite mer intérieure entourée de hautes collines en terrasses où poussaient les arbres qu'ils convoitaient. De là, ils avaient une vue dégagée sur la Forêt sacrée des Cèdres. Les troncs qu'ils désiraient avaient pour l'instant la tête dans les nuages.

« À première vue, Og estima que les vénérables arbres devaient mesurer entre trente et quarante-cinq mètres de haut. Les troncs d'un diamètre d'à peu près quatre mètres et demi lui faisaient estimer leur âge à environ deux mille cinq cents ans. »

— Ha! ha! ha! s'esclaffa brusquement Mattéo, au désespoir d'Alixe qui était complètement conquise par le récit d'Emrys. Tes héros des temps anciens utilisent des mesures métriques? Laisse-moi rire! Tu dis n'importe quoi!

— Je convertis au système métrique pour que vous puissiez vous faire une idée des distances et des dimensions, répliqua Emrys sur un ton fâché. J'aurais pu dire que les arbres étaient d'une hauteur d'environ un bâton de corde. Mais tu n'aurais eu aucune idée de ce que cela représente. Le bâton de corde était une des unités de mesure des Namlù'u et des Aryas des Premiers Temps, cela représente cinquante mètres. Et si tu y tiens, mais je doute que tu t'en souviennes, je peux te dire qu'une canne correspond à trois mètres; une jarre fait quatre litres; une graine de caroube pèse deux cents milligrammes et un anneau de métal équivaut à cent grammes.

— Eh bien, moi, je prendrais bien deux cent cinquante millilitres de quelque chose de pétillant…, rétorqua du tac au tac Mattéo en appelant le serveur pour commander une boisson gazéifiée à la mangue.

— Ne le laisse pas te perturber, murmura Alixe. Poursuis ton histoire. J'ai hâte de savoir ce qui va se passer ensuite!

Emrys garda le silence pendant plusieurs secondes, comme s'il se demandait s'il devait ou non poursuivre son récit. Il s'interrogeait.

Cela en valait-il la peine, ou ne ferait-il pas mieux de trouver un autre auditoire?

Alixe le regardait béatement, complètement subjuguée. Mais si elle était pendue à ses lèvres, c'était sans doute parce qu'elle éprouvait des sentiments amoureux pour lui. Quant à Mattéo, Emrys avait l'intime conviction qu'il l'ennuyait. La patience de l'adolescent était mise à rude épreuve. En lisant ses pensées, Emrys avait vu que le garçon aurait mieux aimé être ailleurs, notamment devant sa console de jeux vidéo, plutôt que dans ce café à écouter les élucubrations d'un énergumène venu d'on ne savait où.

Il se demanda s'il ne ferait pas mieux de raconter son histoire à Arnaud et Mathilde. Les adultes seraient-ils plus enclins à le croire sur parole? En passant en revue les échanges qu'il avait eus avec les Langevin et avec ses professeurs depuis son arrivée, il en doutait. Beaucoup d'adultes avaient perdu leurs capacités d'imagination et d'émerveillement. Ils lui demanderaient des preuves tangibles. Mais tant qu'il n'était pas convaincu d'avoir trouvé les bons interlocuteurs, Emrys n'était pas disposé à fournir des preuves.

Le serveur revint avec la boisson commandée par Mattéo. Il remplit de nouveau le verre d'eau d'Emrys, et Alixe versa le restant de sa tisane tiédie dans sa tasse. Le temps semblait suspendu.

— Et ensuite ? le pressa Alixe.

Emrys émergea de ses pensées. Les grands yeux verts pailletés d'or de la jeune fille se noyaient dans les siens. Elle cherchait à rétablir le contact. Il songea qu'avec un peu d'entraînement elle parviendrait sûrement à ranimer ses capacités mentales endormies. Cela le convainquit de poursuivre son histoire. Lorsque Alixe connaîtrait tout ce qu'il avait à lui dévoiler, elle pourrait sans aucun doute réactiver quelques-unes de ses aptitudes pour l'instant inutilisées.

— Où en étais-je, déjà ? fit-il, comme s'il cherchait à retrouver le fil de sa narration, même s'il savait parfaitement où il avait été interrompu. Ah, oui ! Donc, les Géants atterrirent au bord d'un magnifique lac aux eaux bleues et pures.

« La vallée où se cachait la Forêt sacrée des Cèdres était isolée, difficilement accessible, car superbement dissimulée derrière de hautes collines escarpées. Aux dires d'Hobab, les Aryas ne la fréquentaient pas, car ils la considéraient comme sainte. Selon les croyances aryas, le cèdre était le seul arbre à avoir été planté par les mains de leurs ancêtres, les premiers habitants de la Terre eux-mêmes. De plus, cet arbre, à cause de sa longévité exceptionnelle, était regardé comme un symbole d'immortalité.

« Le vent doux et frais était agréablement parfumé. Sur l'eau du lac flottaient des lotus et d'immenses nénuphars aux fleurs allant du rose pâle au jaune éclatant, en passant par le mauve le plus foncé. Lorsqu'ils sortirent de leur vaisseau, une petite brise leur apporta les odeurs piquantes des cèdres. Ils n'étaient plus très loin du but. Toutefois, comme la journée était bien avancée, Og jugea préférable de camper au bord du lac.

« Ils utilisèrent la technologie dont était équipé leur engin pour examiner les alentours et vérifier si les lieux étaient sûrs. Plus qu'ils ne craignaient les Aryas, les trois Namlù'u redoutaient d'avoir à affronter des animaux inconnus et féroces.

« Le Gondwana était très différent de la Laurasia, tant du point de vue de la flore que de celui de la faune. Les Géants n'avaient pas acquis beaucoup de connaissances concernant les bêtes sauvages qui peuplaient la région. Et ils ne tenaient pas particulièrement à apprendre à les connaître. D'autant qu'Hobab avait raconté avoir déjà eu affaire à un gros lézard fort agressif lors de l'une de ses incursions d'exploration.

« Grâce à leurs instruments de bord, ils repérèrent la présence de hérissons, de souris, de chats sauvages, de loups, de porcs-épics, de hyènes, d'écureuils, de lièvres, de belettes, de sangliers et de renards. Rien de bien dangereux pour eux.

« Rassuré, leur guide se porta d'ailleurs volontaire pour aller récolter quelques fruits exotiques qui poussaient en abondance dans la région. Pour assurer sa protection en cas de rencontre inattendue, il emporta néanmoins l'un des bâtons d'énergie qu'ils avaient eu la prévoyance de prendre avec eux. Pour sa part, Talmaï proposa d'aller taquiner le poisson dans les eaux du lac qui lui semblaient très prometteuses.

— N'utilise pas d'ondes sonores pour débusquer les poissons, lui recommanda Og. On ne sait pas ce qui dort dans les eaux calmes de ce lac. Il ne faut pas prendre le risque de réveiller un monstre que nous ne pourrions maîtriser.

— Tu connais ma prudence naturelle, le rassura Talmaï. Je ne vais prendre que ce dont nous avons besoin. Je connais parfaitement les techniques de pêche des ours… Prépare le feu, je rapporte le repas dans quelques minutes.

« Og sourit.

« Il ne fallut effectivement que peu de temps pour qu'Hobab et Talmaï reviennent avec tout ce qu'il fallait pour passer une bonne soirée au coin du feu. Hobab avait récolté surtout des bananes, des dattes et un étrange fruit qu'il avait baptisé «pain de singe*», après avoir vu un couple de primates grignoter avec délectation sa pulpe séchée au soleil. Pour sa part, Talmaï avait mis la main sur une demi-douzaine de poissons plats, à la peau rosée striée de blanc et aux nageoires épineuses.

— Es-tu sûr que ça se mange? le taquina Og.

— Bien entendu! se rebiffa Talmaï. Je les ai passés au détecteur de poison. Ils sont sains et sans danger.

«Comme toujours à cette latitude, le soir tomba rapidement sur leur camp. Depuis qu'ils avaient quitté Thulé, les Géants avaient dû s'habituer à voir le soleil se coucher beaucoup plus tôt que dans le nord de la Laurasia.

«Afin de préserver leur tranquillité, Og enclencha un vaste champ magnétique autour de leur bivouac et de leur vailixi, pour se prémunir contre une attaque surprise des Aryas tout autant que contre celle de quelque animal sauvage inconnu. Le vimana envoyé par Antée ne devait arriver que le lendemain, aux premiers rayons du jour.

«Ce que les Namlù'u ne savaient pas, c'était qu'Humbaba, le gardien de la Forêt sacrée des Cèdres, alerté par Indra, se tenait aux aguets. Ce bipède étrange, à face mi-humaine mi-simiesque*, portait une épaisse fourrure orangée ressemblant à celle du lion. Les Aryas appelaient ces étranges mammifères des Homins pour les différencier de l'être humain.

« Même si les Savants du Gondwana le considéraient comme un animal, Humbaba avait de multiples aptitudes : il pouvait distinguer tous les bruits de la forêt, identifier tous les sons, même s'ils retentissaient à des dizaines de lieues de distance, et déterminer qui les avait émis. Il ne se laisserait pas prendre au dépourvu.

« Se sentant en sécurité, les Géants dégustèrent tranquillement le fruit de leur pêche et de leur cueillette. Le pain de singe séché les réjouit particulièrement par son petit goût acidulé. Hobab en fit une importante récolte qu'il entreposa dans le vailixi. C'était un nouvel aliment à faire découvrir aux Namlù'u restés à La Colline.

CHAPITRE 10

« Grâce au champ magnétique qui les protégeait, les Namlù'u bénéficièrent d'une nuit calme. Au petit matin, ils profitèrent des eaux pures et parfumées du lac pour se détendre. Ils barbotaient entre les nénuphars lorsque l'ombre du vimana promis par Antée se profila dans le ciel. Grâce à son localisateur de bord, il avait facilement repéré le véhicule des ambassadeurs. Cet engin sans pilote était quatre fois plus imposant que celui que commandait Og. Il se posa néanmoins en douceur près du vailixi.

— Il vaut mieux que nous laissions les appareils ici, près du lac, décréta Og en enfilant sa longue tunique de lin bleu pâle.

« La tenue vestimentaire des Géants s'était, elle aussi, adaptée à l'environnement du sud de la Laurasia. Les vêtements en peau de phoque et d'ours polaire de Thulé ne cadraient plus du tout avec le climat du sud. Ils avaient donc opté pour des tenues plus légères, en lin le jour et en laine pour les soirées plus fraîches.

— Mais non, protesta Hobab. Il vaut mieux les conduire à destination. Une fois les cèdres abattus, on les charge dans le vimana et on disparaît. Ni vu ni connu !

— Je pense comme Og, murmura Talmaï. Laissons nos véhicules en sécurité ici. Prenons le temps de nous assurer que la Forêt sacrée des Cèdres ne recèle aucun piège.

— Pfff ! Votre prudence devient vraiment un horrible défaut, râla Hobab en enfilant ses grosses bottes de cuir. Elle ressemble de plus en plus à de la peur…

— Peur ! s'exclama Talmaï, offensé. C'est nous que tu traites de froussards ?… Tu seras bien le premier à prendre tes jambes à ton cou si nous devons affronter des dangers inconnus dans cette grande forêt.

— Tu es censé être notre guide, ajouta Og, mais apparemment, tu n'as jamais posé une botte dans la grande forêt. Tu n'es pas capable de nous dire ce que nous allons y trouver et tu nous traites de peureux… N'est-ce pas toi, plutôt, qui as toujours craint de t'y aventurer seul ? Depuis le temps que tu es le surveillant de notre frontière sud, tu as eu mille fois l'occasion de visiter cet endroit… mais, de toute évidence, tu ne l'as jamais fait !

« Hobab baissa la tête, honteux. Ses amis avaient raison. Il savait se montrer brave en paroles, mais souvent, en réalité, il évitait d'affronter le danger ou même la perspective d'un péril.

« S'il voulait absolument se déplacer en vailixi, c'était pour bénéficier de la protection qu'offrait la technologie embarquée du vaisseau. Mais cela, il ne l'avouerait jamais. Renfrogné, il s'éloigna du lac à grandes enjambées, en direction des hauts troncs qui marquaient l'entrée de la Forêt sacrée des Cèdres.

« Og activa les systèmes d'invisibilité des vaisseaux, puis Talmaï et lui suivirent Hobab. Ils l'entendirent grommeler dans sa longue barbe. Tout autour, les bruits de la forêt trahissaient la vie riche et fertile de cette vallée isolée.

« Non loin de là, l'Homin Humbaba avait assisté à l'échange particulièrement vif entre les trois Géants. Leurs propos lui plaisaient infiniment. Il avait aussitôt vu tous les avantages qu'il pouvait en tirer. Les Géants lui parurent courageux, mais pas très téméraires.

« Dissimulé derrière l'énorme souche d'un cèdre foudroyé, Humbaba, le gardien de la forêt, attendit que les trois Namlù'u passent devant lui. Puis, il les pista.

« Les Homins avaient un corps massif, des pattes courtes et des bras très longs et puissants. Leur visage, leurs mains et leurs pieds étaient dépourvus de poils, mais tout le reste de leur corps était recouvert d'une épaisse toison rousse. Lors de leurs premières rencontres avec eux, les Aryas avaient cru voir une fourrure de lion, avant de se rendre compte de leur erreur. Néanmoins, par habitude, les Aryas continuaient à dire que les Homins avaient un visage mi-homme mi-singe et une pelisse de lion.

« Dressés sur leurs membres inférieurs, les Homins adultes pouvaient atteindre une taille de un mètre quatre-vingts et peser environ quatre-vingts kilos. Les Aryas avaient pris l'habitude de les surnommer les « hommes de la forêt », car ils ne quittaient jamais l'abri des grands arbres. Ils passaient généralement leur temps dans les plus hautes branches, à se nourrir de fruits et à se reposer. Ils n'étaient pas à l'aise sur le sol, à cause de leurs jambes trop courtes par rapport à leurs bras, ce qui leur donnait une démarche plutôt boitillante et malhabile.

« Humbaba et son clan avaient donc dû modifier leur façon de vivre pour devenir les gardiens de la Forêt sacrée des Cèdres. Ces arbres, à cause de leurs aiguilles, ne leur permettaient pas de se déplacer de branche en branche, alors, au fil du temps, les Homins de cette forêt avaient acquis une démarche plus souple et surtout silencieuse au sol.

« Malgré leurs facultés de perception extrasensorielle, les Géants n'eurent aucune connaissance de la présence d'Humbaba derrière eux. Ils avançaient d'un bon pas, en silence. De temps à autre, Og, d'un coup de poignard, traçait une encoche sur un tronc. Il choisissait les fûts les plus élancés et droits. Les plus gros, qui étaient aussi les plus âgés, parfois de plusieurs millénaires, arboraient souvent des troncs tout tordus, impropres à en faire du bois de construction. Hobab entrait les coordonnées des arbres dans leur localisateur portatif pour les retrouver plus facilement quand viendrait le moment de les abattre et de les ramasser.

« Soudain, alerté par son sixième sens, ou plus probablement par son extrême prudence, Talmaï se figea. D'un signe, il invita ses amis à l'imiter.

— Que se passe-t-il ? l'interrogea Og, lui aussi tous les sens en alerte.

— J'ai entendu des cônes secs craquer sous le poids de quelque chose ou de quelqu'un. J'ai l'impression qu'on nous surveille…

— Des Aryas ? murmura Hobab en rejoignant ses deux compagnons sous un énorme cèdre aux branches étendues à l'horizontale, à plus de quarante mètres au-dessus de leur tête.

« Talmaï n'eut pas le temps de répondre. Frappé à l'estomac par un coup de vent furieux, il roula cul par-dessus tête sur un tapis d'aiguilles et de champignons. Surpris, Og et Hobab n'eurent pas la possibilité de lui venir en aide. À leur tour, ils furent violemment poussés par une incroyable rafale. Malgré leur taille et leur force, ils furent balayés comme des fétus de paille.

« Les bourrasques qui les avaient fait chuter cessèrent tout aussi brusquement. Le souffle coupé, les Géants peinèrent à recouvrer leurs esprits.

— Qu'est-ce que c'était ? demanda Hobab en se relevant en grimaçant.

« Il s'était tordu une cheville dans sa chute.

— Il me semble que ça venait de derrière cette souche, fit Talmaï en désignant un arbre abattu qui gisait non loin de là.

« Les Namlù'u avancèrent dans la direction indiquée. Mais à peine furent-ils revenus sous le vieux cèdre au port tabulaire* qu'une nouvelle bourrasque les percuta et les réexpédia plus loin. Og donna violemment de la tête contre un tronc centenaire. Il en vit trente-six chandelles.

« Le même scénario se reproduisit deux fois encore avant que les Géants s'immobilisent à bonne distance de l'endroit fatidique.

— *Nous avons dérangé quelqu'un ou quelque chose*, murmura Talmaï, utilisant la télépathie.

— Ce quelque chose devine nos pensées et anticipe nos actions, répondit Hobab à voix haute.

— En tout cas, homme ou animal, cet être n'en veut pas à notre vie, sinon nous serions déjà morts, soupira Og, qui se sentait encore tout étourdi. Peut-être devrions-nous négocier?

— Négocier quoi? le railla Hobab. Pour le moment, cette chose a tous les atouts en main… Elle fait ce qu'elle veut de nous.

— C'est étonnant! réfléchit tout haut Talmaï. Nous avons repéré de nombreux mammifères assez inoffensifs, beaucoup d'oiseaux, de petits reptiles, des insectes en tout genre et énormément de papillons, mais ce qui se dresse devant nous a su échapper à notre perception extrasensorielle et à nos instruments de détection. Cette chose est sûrement dotée d'un grand pouvoir de dissimulation…

— Je vous l'avais bien dit! gronda Hobab. Nous aurions dû venir jusqu'ici avec notre vailixi. Nous aurions maintenant accès à des moyens de détection plus perfectionnés et surtout à nos champs de protection. Ce… truc, là, devant, que nous veut-il? Est-il dangereux? On n'en sait absolument rien. Et on ne pourra pas le savoir parce qu'il bloque toutes nos tentatives d'interroger ses ondes cérébrales… Cette chose possède une intelligence très aiguisée, croyez-moi!

« Og ne pouvait donner tout à fait tort à Hobab. Cependant, il persistait à croire que leurs vaisseaux étaient plus en sûreté près du lac. Cette forêt pouvait receler des dangers encore plus effrayants et destructeurs que cette chose qui les tenait à distance.

— Et maintenant ? demanda Hobab.

— *Nous allons nous disperser et tenter de le prendre à revers*, répondit Og par télépathie en essayant de brouiller au maximum ses pensées, les ensevelissant sous un déluge d'images incohérentes. *Hobab, tu passes à droite. Talmaï, tu prends le flanc gauche. Moi, j'y retourne de face pour le provoquer et attirer sa colère sur ma personne.*

— Tu vas courir un risque énorme ! soupira Talmaï. Ça n'en vaut pas la peine. Rentrons chez nous.

« Mais Og ne l'écouta pas.

— *Il faudra le débusquer de sa cachette lorsque vous le verrez m'attaquer, pas avant*, recommanda-t-il en s'avançant au-devant du danger.

« Talmaï et Hobab n'eurent d'autre choix que d'agir comme leur chef l'avait ordonné. Ils ne pouvaient pas rester en arrière et laisser Og risquer sa vie sans rien faire. Mais tous deux maudirent sa témérité en contournant l'arbre foudroyé.

« Humbaba sourit. De prime abord, les pensées des Namlù'u n'avaient paru constituées que de tourbillons de couleurs et de formes géométriques. Mais, en une fraction de seconde, il avait surmonté ce faible barrage mental et deviné le plan des Géants.

« Humbaba songea qu'à côté de ses propres capacités, appelées les Sept Épouvantes, celles des Namlù'u étaient ridicules. Il résolut de s'amuser un peu avant de chasser à tout jamais ces intrus de la Forêt sacrée des Cèdres.

« Il laissa les trois Géants s'approcher de lui. Puis, gonflant ses joues, il laissa glisser entre ses lèvres un souffle à peine perceptible. Seuls les papillons et les petits insectes en eurent conscience et s'enfuirent à tire-d'aile. À chaque pas vers l'avant que faisait Og, Humbaba expirait un peu plus fort. Le vent s'accentua. D'abord légèrement. Des cônes de cèdres en équilibre précaire tombèrent de leurs branches. Talmaï sursauta, mais le zéphyr qui faisait danser ses cheveux ne l'inquiétait pas. Pas encore.

« Inconscients du péril qui les guettait, les Namlù'u se rapprochèrent un peu plus d'Humbaba. L'Homin écarta doucement les lèvres. La brise s'accentua encore. Hobab remarqua bien que sa tunique flottait avec plus de vigueur autour de son corps, mais n'y décela rien d'inquiétant. Il fit un pas en avant. Talmaï et Og l'imitèrent.

« Le gardien de la forêt poussa un soupir plus profond. Le vent siffla entre ses lèvres. Et tout à coup, il mugit, furieux, froid, redoutable. Les grands cèdres tremblèrent. Incapables de rester debout face à un tel déchaînement, les Géants roulèrent au loin comme des ballots de paille poussés par la tempête.

« Un rire affreux, caverneux, démentiel retentit. Même les loups et les hyènes regagnèrent leurs tanières, les oreilles basses et la queue entre les pattes. Tous les habitants de la vallée connaissaient la première des Sept Épouvantes. Personne ne prit l'avertissement à la légère… sauf les Namlù'u. Pourtant, plusieurs indices auraient dû leur indiquer qu'il valait mieux fuir plutôt que d'inciter Humbaba à se servir de sa deuxième arme de dissuasion, beaucoup plus dangereuse. Mais, ne sachant pas à qui ou à quoi ils avaient affaire, les trois Géants, sûrs de leur force et de la supériorité de leurs pouvoirs, s'entêtèrent.

— Les Aryas ont dressé une barrière de vent pour nous empêcher d'aller plus loin, fit Hobab en brossant nonchalamment du revers de la main la poussière accumulée sur sa tunique. Comme ils ne se montrent pas, je doute qu'ils soient très redoutables. C'est un coup de bluff !

— Soyons néanmoins sur nos gardes ! lui répondit Talmaï.

« Son regard perçant, très mobile, fouilla entre les troncs d'arbres à la recherche d'un indice pouvant trahir la présence des Aryas.

— Combien d'arbres as-tu sélectionnés ? s'enquit Hobab en se tournant vers Og.

— Pas assez ! répliqua ce dernier en touchant la bosse qui commençait à orner son front. Il en faut au moins le double.

— Eh bien, avançons dans une autre direction ! ajouta Hobab. Poursuivons notre tâche sans nous préoccuper des Aryas. Je suis sûr qu'ils ne tenteront rien de plus.

« Og et Talmaï n'étaient pas de cet avis, mais comme le vent avait cessé aussi soudainement qu'il s'était levé et qu'aucun autre incident n'était survenu, ils ne trouvèrent rien à redire à la proposition d'Hobab.

« Ils tournèrent le dos au vieux cèdre tabulaire et s'enfoncèrent plus profondément dans la forêt. La plupart des arbres qui les entouraient étaient trop tordus pour l'usage qu'ils voulaient en faire. Ils durent descendre dans un ravin pour en trouver plusieurs, bien droits, qu'Og marqua aussitôt. Ils délogèrent des belettes qui belotèrent furieusement, dérangées dans leur recherche de nourriture. Au loin, une hyène ricana. Un aigle trompetta en regagnant son nid, quelque part dans la montagne.

— Tu vois, fit Hobab en s'adressant à Og. Tout danger est écarté. Les animaux poursuivent leur petit train-train. Ce n'était qu'un mur de vent, un simple leurre pour écarter les peureux...

« Il avait à peine achevé son mot qu'un hurlement leur vrilla les tympans. Ils tombèrent à genoux tellement le son était insupportable. Les deux mains sur les oreilles, ils tentèrent de protéger leur ouïe de ce cri perçant qui aurait pu rendre fou le plus coriace des Géants. La souffrance était intolérable. Ils se tordirent de douleur. À travers leurs larmes, ils virent des écureuils tomber, foudroyés par les ultrasons avant d'avoir pu chercher refuge dans de vieux troncs creux. Le cri, bref mais terrible, fut la pire torture que les Namlù'u n'avaient jamais eue à endurer.

« Lorsqu'ils reprirent leurs sens, ils peinaient à s'exprimer tant leurs oreilles bourdonnaient encore et les faisaient souffrir.

— Les Aryas n'ont pas besoin de se montrer pour nous mener la vie dure, se plaignit Talmaï. On ne sait pas ce qu'ils nous réservent encore. Si leurs attaques s'intensifient, la prochaine fois, nous risquons d'y laisser la vie. Filons !

« Cette fois, Og et Hobab ne répliquèrent pas. Ils se hâtèrent de remonter les pentes escarpées du ravin.

— J'enverrai un Collecteur pour couper et ramasser les arbres que nous avons choisis…, fit Og. Mettons-nous à l'abri !

« Le Collecteur était une machine, une sorte d'automate, chargée d'effectuer les tâches les plus difficiles, notamment couper et ramasser les imposants troncs d'arbres.

« Les trois Géants se guidèrent grâce aux encoches qu'ils avaient faites dans les troncs. Ils étaient loin d'imaginer qu'Humbaba n'en avait pas fini avec eux.

« Fulminant dans sa barbiche rousse, celui-ci continua à suivre les Géants à distance. Il était hors de question qu'un seul arbre de sa forêt soit fauché. Une croyance des Homins voulait que si un cèdre était coupé, c'était une vie qui était tranchée en même temps. De plus, pour son peuple, ces arbres étaient la mémoire du temps qui passe. Il était donc bien déterminé à les protéger coûte que coûte.

« Hobab, Talmaï et Og s'empressèrent de retourner à leurs vaisseaux. Ils entendaient bien se mettre à l'abri derrière un champ magnétique en attendant que le Collecteur ait accompli sa tâche. Ensuite, ils décolleraient pour ne plus revenir dans ce lieu impressionnant.

« Sans crier gare, comme piqué par un essaim d'abeilles en furie, Hobab se mit soudain à se tortiller en se lamentant. Talmaï et Og n'eurent pas le temps de l'interroger sur son étrange comportement. Ils furent assaillis par les mêmes symptômes. Une sensation de brûlure, des picotements, puis des irritations de plus en plus fortes les obligèrent à se gratter les bras, les jambes, mais aussi la face et bientôt tout le corps. Des ampoules apparurent sur les mains d'Hobab.

— C'est une allergie ! s'écria Og en s'écorchant la peau. Nous avons mangé quelque chose de mauvais pour nous.

— C'est impossible ! répliqua Hobab en se grattant au sang. Hier soir, Talmaï a fait examiner les fruits et le poisson par notre détecteur de poison. Tout était sain… Ah, c'est intenable !

— Alors, c'est peut-être la sève des cèdres…, proposa Talmaï, qui se contorsionnait pour atteindre son dos entre ses deux omoplates.

— Plus probablement les piqûres d'un insecte qui vit dans cette forêt…, suggéra Hobab. Peu importe ce que c'est ! C'est horrible !

— Dépêchons-nous d'arriver au lac… L'eau nous soulagera peut-être, fit Og.

« Les Géants dévalèrent une pente escarpée, puis sautèrent d'un bond par-dessus un petit torrent. Ils couraient à en perdre haleine. La démangeaison était si terrible qu'ils avaient l'impression d'avoir la peau à vif.

— Ah, c'est terrible ! Ça me ronge le cerveau ! hurla Talmaï en grattant son crâne, arrachant frénétiquement de longues mèches de sa chevelure blanche.

— Et moi, le cœur ! beugla Hobab, se frappant la poitrine comme pour en expulser son organe vital, devenu aussi hérissé qu'une pelote d'épingles.

« Og n'ajouta pas ses plaintes au concert de lamentations de ses amis. Pourtant, il sentait des centaines d'insectes microscopiques courir sous sa peau. Tout l'intérieur de son corps ressemblait à une immense fourmilière.

« Dissimulé derrière un gros rocher, Humbaba retroussa ses babines de singe pour esquisser un sourire de satisfaction. Sa troisième Épouvante fonctionnait à merveille. C'était ainsi que, depuis des siècles, son clan avait réussi à tenir à distance les malotrus et les coupeurs de cèdres, en perpétuant la crainte et la fascination qu'il inspirait. Même les Aryas, avec qui, pourtant, les Homins entretenaient de bonnes relations, évitaient d'errer dans la Forêt sacrée des Cèdres sans en avertir d'abord les gardiens, protecteurs de la nature. Et ils se gardaient bien d'en couper.

« Lorsque le lac fut en vue, les Géants redoublèrent d'ardeur. Jamais ils n'avaient couru aussi vite de toute leur existence, pourtant plusieurs fois centenaire. Sans demander leur reste, ils piquèrent une tête dans les eaux fraîches et parfumées. Il leur fallut de longues minutes d'immersion pour que les picotements cessent. Quant aux rougeurs et aux ampoules, elles seraient beaucoup plus longues à guérir. Seules des applications répétées de plantes médicinales calmantes en viendraient à bout. Mais pour le moment, les Géants ressentirent un vif soulagement en constatant que les démangeaisons s'atténuaient.

« Lorsqu'il se sentit mieux, Og activa un champ magnétique autour d'eux. Les vaisseaux et le lac furent englobés dans ce périmètre de sécurité. »

Un bruit incongru interrompit le récit d'Emrys. Les yeux écarquillés, il vit Mattéo en train de se gratter l'avant-bras gauche avec application. Un sourire illumina son visage lorsqu'il constata qu'Alixe se frottait très fort la nuque, mine de rien.

La jeune fille extirpa un petit tube de lotion hydratante de son sac à dos, en expulsa une noisette dans sa main et s'en badigeonna la nuque. Elle passa ensuite le tube à son frère.

— Eh bien… c'est contagieux ! se moqua Emrys.

— Ah ! ça me fait toujours cet effet-là, s'excusa l'adolescente, rougissante. Quand quelqu'un parle de grattage, de démangeaisons, de piqûres… je ne peux pas m'empêcher de me gratter !

— Pareil pour moi ! s'exclama Mattéo. Alors, s'il te plaît, passe à autre chose.

Emrys se racla deux fois la gorge, avala une gorgée d'eau et, de nouveau, emmena ses deux amis dans les aventures des trois Géants.

Ψ

« Après leur bain forcé, les Namlù'u s'activèrent autour du Collecteur, transférant dans sa mémoire les coordonnées qu'ils avaient inscrites dans leur localisateur portatif. Ils envoyèrent ensuite l'automate dans la forêt.

« Le Collecteur avait l'apparence d'un Géant, pourtant il s'agissait d'une machine. Et ce fut ce qui induisit Humbaba en erreur. Il n'avait jamais vu d'automate de sa vie. Il ne pouvait pas se douter qu'au lieu de chair et de sang, cet être n'était qu'un assemblage de vis, de boulons, de plaques de métal, le tout mû à la fois par des éléments liquides et des jeux d'air, mais aussi dirigé à distance par une puce électronique perfectionnée. »

— Ah, génial ! s'exclama Mattéo. Tes Premiers Hommes ont inventé l'ordinateur et les robots… Tu crois pas que tu charries un peu, là ?… Parce que, si j'ai bien suivi toutes tes explications, tu parles d'un temps… d'un temps…

— « … que les moins de vingt ans ne peuvent pas connaître », chantonna Alixe, répétant en chœur les paroles d'une chanson d'Aznavour, qui était justement diffusée à l'instant même dans le petit café.

— Hé, c'est pas drôle ! fit Mattéo en bousculant sa sœur assise près de lui sur la banquette en similicuir. Je veux bien t'aider à inventer ton histoire, Emrys, mais quand même… tu pourrais faire attention à ne pas trop pousser. À mon avis, tu en mets trop !

Emrys soupira. Il désespérait de convaincre Mattéo. Il allait reprendre son histoire lorsque, dans les yeux de son vis-à-vis, il vit passer une lueur inquiète. Projetant son esprit dans celui de son ami, il saisit aussitôt ce qui avait alarmé celui-ci. Quelqu'un venait d'entrer dans le petit café. Emrys n'eut pas besoin de se retourner pour savoir de qui il s'agissait. L'énergie négative qui émanait du personnage trahissait le Dâsa.

— Alors, les Langevin ? fit la voix sèche de Max Ankel. On gobe les sornettes de cet idiot ?

Le nouveau venu s'installa à la table voisine et passa sa commande : une salade de fruits et un lait de soja nature. Comme les Aryas, les Dâsas étaient végétariens ; beaucoup d'entre eux évitaient aussi les produits laitiers et les œufs.

— Ne t'occupe pas de lui ! intervint Alixe. Poursuis ton histoire.

Mais la présence du Dâsa incommodait Emrys. Si Ankel n'hésitait pas à venir le provoquer dans le café, c'était qu'à coup sûr Vitra, Nisha et Ahi rôdaient dans les parages. C'était leur façon de lui faire comprendre qu'ils ne le laisseraient pas tranquille.

Tant qu'ils demeureraient dans ce bistro, les Dâsas ne les agresseraient pas ; mais qu'allait-il leur arriver lorsqu'ils quitteraient l'établissement ?

— Alixe, téléphone chez toi. Demande à ton père de venir nous chercher en voiture.

L'adolescente le dévisagea. Pourquoi Emrys voulait-il rentrer en voiture alors que les Langevin habitaient à moins de cinq cents mètres du café ?

— Fais-moi confiance ! ajouta-t-il. C'est important. Il en va de notre sécurité à tous les trois.

Mattéo reporta son regard sur Max Ankel. La brute avalait ses fruits et ne leur accordait aucune attention. Du moins, en apparence! Néanmoins, il ressentit une certaine tension dans l'air. Les conversations des autres clients semblaient même avoir cessé d'un coup. Il avait l'impression d'évoluer dans un monde de brume, de ouate, comme si tous ses gestes et ceux des autres se faisaient au ralenti.

— Appelle, maintenant! fit la voix insistante d'Emrys, que Mattéo perçut déformée, comme si les sons lui parvenaient à travers un tube ou, pire encore, distordus par une distance importante.

La jeune fille, sous l'emprise d'Emrys, composa le numéro sur son appareil sans fil. Mattéo l'entendit vaguement parler à leur père. Son cerveau peinait à comprendre les mots qu'elle prononçait, mais il perçut l'urgence du ton.

Mattéo sentit brusquement deux mains saisir son visage et le tourner avec vivacité. Ses yeux quittèrent abruptement Max Ankel et rencontrèrent ceux d'Emrys. Il cligna des paupières. Les sons ambiants redevinrent tout à coup très audibles et il sursauta.

— Ne le regarde pas! lui ordonna Emrys en l'empêchant de braquer de nouveau sa tête vers la table voisine. Il joue avec ton esprit. Ne le laisse pas te manipuler.

— Qu'est-ce qui se passe? les questionna Alixe sur un ton soudainement apeuré.

Visiblement, elle n'y comprenait absolument rien.

— Que fais-tu à mon petit frère?

— Ce n'est pas moi, c'est Ankel! répondit Emrys en désignant leur voisin d'un signe de tête. Ne le regardez pas! Restez concentrés sur moi…

Il s'empara de la main d'Alixe par-dessus la table et la pressa fermement, pour l'obliger à rester en contact avec son esprit.

Le serveur s'approcha avec les additions. Emrys plongea une main dans la poche de son jeans et déposa un billet sur la table, sans quitter Mattéo du regard et sans lâcher les doigts d'Alixe devenus glacés.

Au bout de cinq minutes qui leur parurent une éternité, Arnaud Langevin poussa la porte du café. Les trois adolescents se levèrent d'un bond, entraînèrent l'adulte dehors et coururent vers le véhicule dont le moteur était encore en marche, comme l'avait recommandé Alixe à son père au téléphone.

— Vite! À la maison! cria Emrys.

Surpris par leur fuite, Max Ankel ouvrit la porte du bistro au moment où la voiture tournait l'angle de la rue. Les trois autres Dâsas, à pied, s'élancèrent derrière l'automobile.

Mais lorsqu'ils parvinrent devant chez les Langevin, la porte d'entrée se refermait sur la petite famille.

— Allez-vous me dire ce qui se passe, à la fin ? les apostropha Arnaud Langevin, tandis que les trois adolescents, fébriles, retiraient leurs manteaux et leurs bottes.

Le père remarqua le teint blême de Mattéo et la peur sur le visage d'Alixe. Emrys demeurait impassible en apparence, mais il était néanmoins très inquiet intérieurement. Les Dâsas se rapprochaient dangereusement de lui et ne prenaient même pas la peine de dissimuler leur présence.

— C'est un malabar de l'école qui en veut à Emrys ! répondit Mattéo.

L'adolescent ne voyait pas du tout ce qu'il pouvait raconter d'autre à ses parents, car lui-même ne comprenait pas ce qui se passait exactement. Il en avait donc conclu que Max Ankel et Emrys avaient un compte à régler.

— Et pourquoi en veut-il à Emrys ? intervint Mathilde.

— Euh… ç'a commencé pendant le cours de sciences. Ankel n'apprécie pas qu'Emrys en sache plus que lui, je crois.

— Ce n'est pas une raison pour vouloir lui casser la figure ou l'effrayer, tempêta Arnaud. Dès demain, je vais aller rencontrer la direction de l'école. Il faut que ce garçon cesse ses manœuvres d'intimidation.

Emrys et Alixe ne dirent rien, se contentant de ranger leurs affaires dans le placard. Mattéo hocha la tête.

— On monte dans ma chambre, déclara soudain Alixe. Je crois qu'il vaut mieux que nous évitions de ressortir cet après-midi.

— Oui, il vaut mieux…, reprit Mathilde. Et si ce Ankel continue à t'embêter, Emrys, il faudra appeler la police. Je ne tolérerai pas que quelqu'un s'en prenne à mes enfants ni à toi.

Ψ

Les trois adolescents étaient assis sur le lit d'Alixe. Ils se dévisageaient sans oser parler. Finalement, Alixe rompit le silence.

— Que s'est-il passé exactement, Emrys?

— Comme l'a dit ta mère, de l'intimidation… rien que de l'intimidation, pour le moment. Les Dâsas ne s'en prendront à moi physiquement que si je suis seul. Ils ne veulent pas que quelqu'un puisse intervenir pour m'aider. Ils sont forts, mais pas immortels. Ils ne veulent pas risquer de prendre un mauvais coup et d'être blessés ou même tués.

— Mais nous? fit Mattéo qui, peu à peu, retrouvait des couleurs. On n'a rien à voir là-dedans.

— Effectivement, confirma Emrys. Ils veulent simplement vous effrayer suffisamment pour que vous m'abandonniez à mon sort… Lorsque ton père et toi m'avez trouvé dans le parking, j'étais en fuite. Depuis près d'un mois, j'avais trouvé refuge dans un squat avec des jeunes sans-abri. Mais les Dâsas nous ont attaqués ce soir-là. Les autres ont pris peur et m'ont flanqué à la porte. J'ai réussi à fuir, mais je savais bien qu'ils ne tarderaient pas à me retrouver. Même si je cherche à me protéger en diffusant le moins d'énergie possible, ils réussissent à détecter ma présence. C'est la raison pour laquelle j'étais caché dans ce renfoncement et que je dormais… ou du moins que j'avais l'air de dormir. En fait, j'avais simplement ralenti mes fonctions vitales et métaboliques pour abaisser le degré d'énergie que mon corps diffuse. C'est pour moi la seule façon d'échapper à leur vigilance.

— C'est comme si tu te mettais en état d'hibernation! s'extasia Alixe.

— Oui, presque! confirma Emrys qui ne voulait pas entrer dans les détails.

Le temps n'était pas encore venu pour lui d'expliquer comment il arrivait à mettre au ralenti ses fluides corporels et ses organes vitaux.

Mattéo secouait la tête de droite à gauche, déprimé. Il n'arrivait pas à croire ce qu'il entendait. Et surtout à imaginer que sa grande sœur puisse avaler de si grosses sottises. Il ne voyait qu'une explication à son comportement : elle était amoureuse.

Et c'est bien connu, l'amour rend aveugle, se dit-il. *Oui, mais de là à perdre tout sens critique… Si, être amoureux, ça veut dire devenir aussi bête que ça, eh bien, j'espère que ça ne m'arrivera pas de sitôt!*

— Et les Géants ? relança Alixe. J'aimerais bien connaître la suite de leurs aventures.

CHAPITRE 11

« Grâce aux données de localisation four-
nies par les Géants, le Collecteur s'enfonça
dans la forêt à la recherche des cèdres à abattre.
Sa tâche consistait à couper les arbres et à les
rapporter, trois troncs à la fois, au vimana.
Le terrain était très accidenté et l'automate
avançait lentement, d'une manière mécanique,
comme le font tous les robots.

« Toujours à l'abri derrière son rocher,
d'où il avait une vue plongeante sur le camp
des Namlù'u, Humbaba assista aux premiers
pas malhabiles du Collecteur. À la démarche
hésitante et plutôt raide du Géant, l'Homin
en conclut que celui-ci serait sans doute plus
facile à effrayer que ses trois compagnons. Aux
yeux de l'Homin, le Géant ne semblait pas être
non plus très vif sur le plan intellectuel. Il en
serait d'autant plus impressionnable.

« Lorsque l'automate l'eut dépassé sans
l'avoir détecté, Humbaba se lança à sa suite.
Son plan était simple : laisser le Géant s'avancer suffisamment dans la forêt, hors de vue

de ses trois amis, et ensuite, passer à l'attaque sans courir le risque que sa victime reçoive du secours.

« Contrairement aux Namlù'u de chair et de sang, l'automate évita les endroits les plus escarpés. Pour franchir le torrent, il ne sauta pas par-dessus, mais ses grands pieds prirent délicatement appui sur des roches affleurantes. Apparemment, il prenait grand soin à ne pas glisser. Humbaba se demanda un instant pourquoi ce Géant prenait tant de précautions. Il songea ensuite que le Namlù'u devait se méfier. Les trois Épouvantes qu'il avait déclenchées précédemment avaient dû les impressionner suffisamment, lui et ses compagnons, pour que le nouveau venu se montre plus méfiant.

« Lorsque Humbaba vit que sa victime et lui étaient maintenant assez éloignés du camp près du lac, il inspira profondément. Sa nouvelle arme était imparable. Dans presque tous les cas, elle se révélait fatale à quiconque avait la malchance d'être sur sa trajectoire. Du plus profond de ses poumons, il expira une haleine fétide foudroyante en direction du Collecteur. Aussitôt, des oiseaux chutèrent du ciel, asphyxiés net par l'odeur insoutenable. Des petits singes noirs et blancs dégringolèrent des branches où ils s'amusaient, et même des papillons, surpris en plein vol, s'écrasèrent sur le sol. Mais l'automate poursuivit sa route chaotique comme si de rien n'était. L'Homin n'en croyait pas ses yeux. C'était bien la première fois que sa quatrième Épouvante n'atteignait pas son but. Croyant avoir mal ajusté son tir, il emplit de nouveau ses poumons, avant d'expirer bruyamment en direction du Géant. Deux petits écureuils et un renard malchanceux perdirent instantanément la vie. Toutefois, le Collecteur poursuivit son chemin, imperturbable.

« Humbaba s'immobilisa, interloqué. Et pourtant, il devait se rendre à l'évidence : le Géant continuait tout bonnement son chemin sans manifester le moindre inconfort.

« L'Homin attendit quelques secondes que l'infecte odeur se dissipe pour éviter de s'asphyxier lui-même, puis il reprit sa filature. Après une cinquantaine de mètres, ou un bâton de corde, qui est une unité de mesure des Premiers Temps », tint à préciser Emrys en jetant un coup d'œil vers Mattéo, « le Namlù'u s'arrêta au pied d'un très grand cèdre. Humbaba vit tout à coup une sorte de scie apparaître dans le prolongement de la main du Collecteur.

« En effet, l'automate-bûcheron disposait de nombreux outils intégrés pour lui permettre d'accomplir sa tâche. Humbaba comprit immédiatement qu'il devait agir sans tarder. Sa cinquième Épouvante viendrait-elle à bout de cet étrange Géant? Son bâton d'énergie, dérobé lors d'une visite à Khass, le poste avancé des Aryas, pouvait-il arrêter cette scie sacrilège qui émettait des bruits effrayants?

« En appuyant sur un bouton situé sur le manche du bâton d'énergie, Humbaba régla d'abord la puissance du tir. Puis, prenant bien son temps, il visa sa cible. Son but était de l'atteindre au thorax, ce qui se révélerait fatal. Il ne voulait pas que le Géant soit gravement brûlé et souffre pendant des heures avant de rendre l'âme. Il voulait le tuer sur le coup.

« Avec une précision remarquable, le bâton expulsa un long filament électrique bleu en direction du Collecteur. Mais le Géant ne s'écroula pas comme Humbaba s'y attendait. Ce fut à peine s'il tressaillit et, surtout, il ne parut pas du tout dérangé par l'attaque. Sa scie commença même à élaguer quelques branches d'un cèdre qui avait été sélectionné par Og plus tôt.

« Dans quelques secondes, le haut fût s'écroulerait, emportant d'autres arbres plus jeunes et plus chétifs dans sa chute. Plusieurs vies seraient ainsi fauchées. L'Homin était horrifié.

« Il se demanda si ses deux dernières Épouvantes se révéleraient aussi inefficaces contre ce

Géant invincible. Il ne savait plus que penser. Jamais il n'avait été confronté à une situation semblable. En fait, d'habitude, la perspective même d'avoir à affronter les Sept Épouvantes suffisait à tenir les intrus à distance. Mais là, il en allait tout autrement. Ce Namlù'u était l'être le plus entêté, ou alors le plus chanceux, qu'il avait jamais rencontré.

« Humbaba avait très rarement employé la sixième Épouvante de son arsenal. C'était une arme dont il ne pouvait contrôler tous les effets et, surtout, elle risquait de causer les pires catastrophes et d'entraîner ses chers cèdres dans le plus effroyable des cataclysmes. Cela consistait à déclencher un séisme artificiel en utilisant des ondes magnétiques pour perturber les failles souterraines qui traversaient la région. Il en résulterait alors un violent tremblement de terre.

« Il hésita de longues minutes, cherchant le meilleur endroit pour déchaîner la sixième Épouvante. Ne pouvant se résoudre à endommager les si beaux cèdres dont il assurait la protection, il opta pour la tactique de l'intimidation. Il pensait faire suffisamment peur au Géant pour le forcer à quitter les lieux sans avoir eu le temps d'abattre un arbre.

« Lorsque les dents de la scie mordirent dans le tronc du cèdre, Humbaba passa à l'action.

Il appuya le bout de son bâton d'énergie contre le sol. Instantanément, une fulgurante onde traversa la couche d'aiguilles de cèdres, perfora la terre, pulvérisa des roches situées sous la croûte terrestre et, à une importante profondeur, vint libérer sa charge dévastatrice.

« Les animaux de la forêt réagirent en une fraction de seconde. Leur sixième sens leur avait permis de détecter les puissantes ondes basses fréquences émises par le bâton d'énergie. Les premières vibrations ne s'étaient pas encore manifestées que les mammifères et les insectes quittèrent leurs nids en toute hâte. Humbaba vit même des fourmis emmenant leurs œufs dans leur exode.

« Au bord du lac, les Namlù'u, abasourdis, virent des serpents, des souris, des chats sauvages et une multitude d'autres animaux fuir dans le plus grand désordre.

— Il va se passer quelque chose de grave ! s'exclama Talmaï. Les animaux ne fuient pas comme ça sans raison.

— Peut-être un incendie a-t-il éclaté plus loin ? suggéra Hobab.

— On ne détecte aucune odeur de brûlé et il n'y a pas la moindre fumée, lui répondit Og en humant l'atmosphère, l'œil aux aguets.

« Trop confiants en leur bonne étoile, les Géants n'avaient pas encore perçu les ondes sismiques qui se faufilaient à grande vitesse sous leurs pieds. Ils avaient baissé leur garde mentale en attendant le retour de leur automate. Ils se la coulaient douce au bord des eaux pures et parfumées du lac.

« Soudain, sans avertissement, arriva la secousse. Puissante, terrible, dévastatrice. Des hauteurs, des rochers se détachèrent dans un crissement déchirant. La rare végétation qui poussait sur les flancs des collines fut impitoyablement écrasée par les éboulis. Les ravins retentirent du grondement des rochers et des arbres qui y furent précipités. Humbaba avait pris soin de déclencher le séisme dans une zone dépourvue de cèdres. Il espérait ainsi que la crainte suscitée par le déchaînement souterrain serait suffisante pour que les Géants remontent dans leurs vaisseaux et quittent les lieux.

« Le premier séisme dura une trentaine de secondes. Impressionnés par cette violence soudaine des forces de la nature, les Namlù'u se précipitèrent à l'intérieur de leur vailixi pour y chercher refuge. Grand bien leur en prit, car, agitées par les ondes sismiques, les eaux du lac se soulevèrent dans de hautes vagues qui emportèrent les deux vaisseaux. Pendant de longues minutes qui leur semblèrent durer des heures, les trois Géants furent ballottés par les flots. Maintes et maintes fois ramené et rejeté sur la grève de galets, leur vailixi, telle une coquille de noix, était devenu incontrôlable. Tous les sens en alerte, ils percevaient maintenant à l'intérieur même de leur cerveau toutes les vibrations qui perturbaient le sol et le lit du lac. C'était effrayant. Jamais ils n'avaient vu de telles forces en action, pas même lorsque le volcan qui dominait Thulé se mettait en colère. Puis, le calme revint. Quelques répliques de moindre importance continuèrent à secouer la région à intervalles espacés. Ce qui les troublait le plus, c'était le silence angoissant qui régnait à l'extérieur : il n'y avait plus un seul bruit animal dans l'air. Seuls quelques craquements de rochers et de branches retentissaient encore de temps à autre dans l'atmosphère alourdie de poussière.

— Notre vailixi est au milieu du lac ! s'étonna Hobab en jetant un coup d'œil par un hublot latéral.

— Et le vimana ? l'interrogea Og.

« Il s'activait aux commandes manuelles de leur engin afin de s'assurer qu'elles n'étaient pas endommagées.

— Aucune trace, soupira Hobab. Il a dû couler… Contrairement à notre appareil, il n'est pas amphibie.

— Talmaï, peux-tu entrer en contact avec le Collecteur ? s'inquiéta Og tout en manœuvrant leur vaisseau pour le ramener sur la grève.

— Il ne répond plus ! s'exclama Talmaï. J'ai l'impression qu'il a été détruit.

« Les trois Géants gardèrent le silence quelques instants. Ils réfléchissaient à ce qu'ils devaient faire.

— Bien, reprit Og. Récapitulons. Le vimana est perdu. Le Collecteur est hors d'usage. Plus probablement détruit…

— Et nous subirons le même sort si nous ne décollons pas immédiatement, le coupa Hobab, angoissé. Regardez. L'eau monte.

« Les Namlù'u se ruèrent vers les hublots. Hobab disait vrai. Le niveau du lac avait atteint une hauteur impossible. Et du haut des collines, des torrents d'eau et de boue dévalaient les pentes dans leur direction.

« Humbaba s'était servi de sa septième Épouvante : l'eau. Il pouvait provoquer, à volonté, des débordements, des inondations, des raz-de-marée, des ruptures de barrages ou de digues. Pour ce faire, il lui suffisait d'effleurer une source ou un ruisseau du bout de son bâton d'énergie et aussitôt les flots se déchaînaient au point d'en être incontrôlables. Les éléments ne se calmeraient que lorsque l'eau, s'évaporant, disparaîtrait d'elle-même. Mais pour le moment, c'était le chaos dans la vallée.

— Accrochez-vous ! hurla Og. On décolle.

« Aussitôt, il sauta sur les commandes du vailixi et l'arracha de la plage de galets. Il était moins une. Déjà, l'eau léchait les escaliers métalliques de leur engin, qu'ils n'avaient pas pris le temps de remonter avant de s'élever au-dessus du sol. En jetant un œil par les hublots, les Géants comprirent qu'ils l'avaient échappé belle. Le plan d'eau calme qu'ils avaient découvert à leur arrivée s'était transformé en un lac agité de mille remous, projetant ses vagues meurtrières jusque très loin dans les terres.

— C'est quand même étrange, fit brusquement Hobab. D'habitude, nos fonctions de clairvoyance nous permettent de connaître d'avance les événements qui vont survenir dans un très proche avenir… Mais là, rien. Aucun indice ne m'a permis de me douter qu'un tremblement de terre suivi d'inondations se préparait.

— Maintenant que tu le mentionnes, moi aussi, je trouve ça bizarre ! confirma Talmaï. Nous ne nous laissons que très rarement surprendre par ce genre de phénomènes naturels.

— Oui, fit Og. Nos capacités se sont fortement accrues au cours des dernières années à Thulé, en raison de la menace des volcans. J'ai toujours su déterminer avec précision la survenue d'une éruption, même soudaine. Mais là… vous avez raison, rien ! Aucun avertissement de mon cortex cérébral, comme si aucune information ne lui était parvenue.

— Des forces contradictoires sont-elles à l'œuvre dans la Forêt sacrée des Cèdres ? fit Talmaï, interrogeant Hobab.

« Le Géant semblait furieux d'avoir été entraîné dans une aventure sans en connaître tous les détails, notamment ceux qui pouvaient mettre sa vie en danger.

« Le guide namlù'u haussa les épaules. Il avait bien entendu des rumeurs concernant des êtres étranges appelés Homins, mais il n'avait prêté aucune attention à ces racontars. Lui-même n'ayant jamais vu ces créatures humaines ou animales, il avait jugé qu'il s'agissait sûrement de légendes. Des fables inventées par les Aryas pour effrayer les Géants du sud et les empêcher de faire des intrusions sur leur magnifique continent.

— Vas-y ! Vide ton sac, le pressa Talmaï qui ne décolérait pas.

« Peu fier de lui, Hobab baissa les yeux. Puis, constatant que le regard d'Og s'appesantissait sur sa tête, il entreprit de raconter ce qu'il savait, c'est-à-dire fort peu de choses, concernant les Homins, ces hominidés à face mi-humaine mi-simiesque et à fourrure de lion.

— Les Aryas disent qu'ils possèdent Sept Épouvantes. Ils peuvent déclencher à volonté des tempêtes de vent, des odeurs pestilentielles et mortelles, des allergies, des incendies, des tremblements de terre, des inondations… et, ah oui, ils sont capables de pousser un cri strident qui peut tuer.

— Et c'est seulement maintenant que tu nous en parles? hurla Og, hors de lui. Tu nous as emmenés dans cette forêt sans que nous puissions nous préparer à ce que nous allions y trouver… Ton comportement pourrait laisser à penser que les Géants du sud cherchent à nous empêcher de nous installer dans le sud de la Laurasia. C'est de la trahison!

— Ce ne sont que des légendes, bredouilla Hobab, bien conscient qu'il avait commis une bévue.

— Tu t'expliqueras avec le roi Antée! trancha Og. Jusqu'à nouvel ordre, considère que tu es relevé de tes fonctions et que tu es en état d'arrestation. Talmaï, ligote-le!

« Se servant de ses ondes mentales particulières, Talmaï entrava le corps d'Hobab avec un flux magnétique impossible à défaire.

« Chaque Géant disposait d'aptitudes qui lui étaient propres et qui pouvaient servir, par exemple, à immobiliser un ennemi ou un autre Namlù'u sans que ce dernier ne puisse réagir. Toutefois, les Géants se servaient de leurs pouvoirs après mûre réflexion et évitaient d'en abuser. Ils avaient toujours su que leurs capacités étaient importantes, mais aussi très dangereuses. Ils devaient donc les utiliser à bon escient, et de façon juste.

« Les êtres des Premiers Temps, qu'ils soient Géants, Aryas ou Homins, ne recouraient jamais à la violence, à moins de ne pouvoir faire autrement. Dans de tels cas, leur but n'était pas de tuer, mais plutôt d'effrayer. Ils avaient des prédispositions si extraordinaires qu'un mauvais usage pouvait se révéler catastrophique, autant sur le plan personnel que collectif. Tous avaient donc appris dès la naissance à manier leurs pouvoirs avec respect et une grande maîtrise.

« Ce fut la raison pour laquelle Hobab se laissa entraver sans chercher à résister. Une explication avec le roi Antée n'était jamais une partie de plaisir. Il s'attendait à devoir quitter son poste de surveillant des frontières. Il serait sûrement assigné à une autre tâche moins valorisante, mais il n'avait pas le pouvoir de s'y opposer. De toute façon, il reconnaissait son erreur et accepterait son châtiment. Ne lui avait-on pas maintes fois répété qu'il y avait toujours une part de vérité dans chaque légende ? S'il s'était montré moins sûr de lui, moins méprisant envers les fables et les Aryas, il ne se serait pas laissé berner. Hobab savait qu'il méritait sa peine. Anak, son chef de clan, serait furieux.»

— Ah! s'exclama Mattéo, offensé. Est-ce pour moi que tu dis ça? Tu penses que je méprise les fables…

— Mais non, voyons! répliqua Emrys qui n'avait pas anticipé que ses propos puissent être mal interprétés.

— De toute façon, Emrys a raison! appuya Alixe. Rappelle-toi, Mattéo. Un archéologue a retrouvé l'antique ville de Troie parce qu'il pensait que les traditions anciennes disaient vrai et que cette cité n'était pas une invention de conteur. Moi aussi, je crois comme Emrys que les légendes contiennent toujours une part de vérité…

— Évidemment, toi, tu te ranges du côté d'Emrys maintenant…, fit Mattéo, boudeur.

— Pourquoi refuses-tu de voir la vérité en face? lui demanda Alixe. Si tu étais un peu moins entêté, tu comprendrais qu'Emrys est vraiment ce qu'il dit: un Arya. Nous pouvons l'aider. Tu dois juste faire preuve d'un peu plus d'ouverture d'esprit…

Mattéo bougonna quelque chose d'incompréhensible, puis quitta la chambre de sa sœur, les larmes aux yeux.

— Il vaut mieux que je m'arrête ici pour aujourd'hui, fit Emrys en inspirant très fort pour calmer les battements de son cœur.

Il ressentait toute la tristesse et la détresse qui avaient envahi Mattéo. Il se sentait mal à l'aise d'en être la cause.

— Mon histoire va faire son chemin dans l'esprit de ton frère…, reprit-il en tournant la poignée de la porte pour sortir à son tour. Il va y penser et y repenser. Il faut lui laisser le temps d'assimiler tout ce que je raconte. Il va finir par comprendre que je ne mens pas…

Songeuse et silencieuse, Alixe acquiesça de la tête.

CHAPITRE 12

Le cours de français était commencé depuis une dizaine de minutes. Penché sur son pupitre, Emrys prenait consciencieusement des notes, tandis que la professeure monologuait sur les œuvres de Victor Hugo. Plusieurs élèves bayaient aux corneilles, d'autres, du bout du crayon, traçaient machinalement des cubes, des maisons carrées, des fleurs dans leur cahier.

La porte de la classe s'ouvrit brusquement sur un jeune homme qui s'excusa du dérangement et interpella deux étudiants dont il lut les noms sur un papier qui pendait à sa main.

— Emrys Langevin, Max Ankel... chez le directeur !

Mattéo fronça les sourcils. Que se passait-il ? Il avait cru qu'Emrys avait réussi à convaincre son père de ne pas intervenir auprès de la direction de l'école pour signaler les tentatives d'intimidation dont ils étaient victimes.

Comme en réponse à ses interrogations, Emrys haussa les épaules. Apparemment, lui non plus n'avait aucune idée de la raison de cette convocation. En passant près de Mattéo, Max Ankel lui décocha un clin d'œil, que l'adolescent jugea de mauvais augure. Était-ce lui qui avait manigancé cette surprenante invitation chez le directeur?

— Sois prudent! lança-t-il à Emrys.

Tous les regards, même celui, étonné, de la professeure, se tournèrent vers lui. Son avertissement leur parut pour le moins étrange. Il leur adressa un sourire niais.

En silence, le jeune homme précéda Emrys et Max dans les couloirs sombres de l'établissement. Aucune fenêtre donnant sur l'extérieur ne venait jeter un peu de lumière dans cette école construite plus de trente ans plus tôt et qui ressemblait à un vaste cube. D'ailleurs, entre eux, les étudiants l'avaient baptisée «l'entrepôt».

Ils prirent un escalier sur leur droite pour descendre d'un étage, vers les bureaux administratifs. Brusquement, manquant la troisième marche, le jeune homme qui les précédait perdit l'équilibre et bascula vers l'avant. Dans sa chute, sa tête heurta le mur de ciment crépi et il fut assommé. Emrys se précipita pour l'aider, mais Ankel se jeta sur lui et le ceintura.

— Laisse tomber, il n'a rien! Toi, tu viens avec moi!

— C'est toi qui as fait ça? se révolta Emrys en se débattant pour se libérer de l'emprise du Dâsa.

Mais les bras du Ténébreux étaient aussi puissants que deux poutres et ses mains, plus crochues que les serres d'un rapace. Plus le jeune Arya se trémoussait, plus la prise se resserrait.

— Pourquoi? Ça te dérange? Il est juste assommé. Si j'avais vraiment voulu lui causer des problèmes, il serait plus mal en point que ça.

Ankel attrapa Emrys par le col de sa chemise et le lui remonta jusqu'à la gorge, tout en le plaquant contre le mur gris. Emrys sentit son dos s'érafler sur la texture granuleuse du crépi.

— Fiche-moi la paix! bredouilla-t-il dans un gargouillis.

— Viens par ici! répliqua Ankel.

Il tira Emrys sans ménagement. Puis, d'une bourrade dans le dos, il propulsa le jeune Arya dans un cagibi plongé dans le noir. Emrys entendit deux balais chuter, et il trébucha contre un seau de plastique. C'était là que le concierge rangeait son attirail de nettoyage.

Le jeune Arya frissonna. La plupart des Dâsas, qui appartenaient à la caste des Nyctalopes, avaient conservé la capacité de voir dans la plus totale obscurité. N'incarnaient-ils pas les forces des ténèbres?

Comme celles des chats, leurs rétines étaient dotées de cellules photosensibles, c'est-à-dire qu'elles pouvaient capter la plus petite source lumineuse, car l'obscurité n'est jamais totale. Une membrane réflectrice derrière leurs rétines faisait briller leurs yeux dans le noir. Emrys vit parfaitement les deux rayons verts des yeux de Max Ankel qui le fixaient intensément.

Depuis que les Aryas avaient quitté les profondeurs d'Agartha, ils avaient renoncé à cette faculté, sans doute par souci de se débarrasser de tout ce qui avait constitué leur vie souterraine. Une vie qu'ils n'avaient pas particulièrement appréciée et dont le seul souvenir leur causait de grandes souffrances psychologiques.

Depuis des millénaires, Emrys avait été bercé par les propos des chefs aryas. Le roi Indra avait coutume de dire qu'ils n'étaient ni des rats ni des taupes pour vivre sous terre. Par égard pour leur dignité d'êtres humains, ils devaient abandonner tout ce qui avait constitué leur existence dans les cavernes et les grottes de l'ancien royaume d'Agartha. Ainsi, depuis qu'ils pouvaient de nouveau vivre au grand air, les Aryas avaient fait en sorte de modifier leurs facultés pour s'adapter à cet environnement. Un bref instant cependant, Emrys regretta d'avoir perdu le pouvoir de la vision dans le noir. Ankel avait un important avantage sur lui.

— Ah! Tu te demandes comment j'ai fait pour deviner que tu serais dans cette école, n'est-ce pas? lui lança le jeune Dâsa en concentrant sur lui les rayons verts émanant de ses pupilles noires.

Emrys sentit ses poumons se comprimer dans sa cage thoracique. Ankel exerçait une pression intolérable sur sa poitrine, sans même le toucher, par son seul contrôle mental.

— Vous vous dites savants, mais vous êtes de plus en plus ignorants, se moqua encore le jeune Dâsa.

Emrys eut l'impression qu'Ankel jouait avec lui comme un chat avec une souris, avant de le tuer. La cruauté des Dâsas n'était pas une légende. Il sentait tous ses os soumis à une forte pression, comme si on enfermait son corps dans un corset trop petit pour lui.

— Vous êtes tellement prévisibles, vous, les Aryas, se moqua encore Ankel. Quand tu t'es échappé du squat des sans-abri, je ne t'ai pas perdu de vue une seule seconde. J'allais même me jeter sur toi alors que tu te pensais protégé dans ce parking, derrière ce ridicule mur de pierres grises.

— Manque de chance, les Langevin sont arrivés, murmura Emrys d'une voix étouffée.

À plusieurs reprises, il chercha son souffle. Il se sentait tellement oppressé que seul un mince filet d'air parvenait à se glisser entre ses lèvres qui bleuissaient à vue d'œil. Si l'oxygène n'irriguait plus son cerveau, il savait qu'il allait d'abord s'évanouir, avant de mourir dans son inconscience. Il devait réagir.

Depuis des générations, les Aryas devaient se défendre des attaques sournoises des Dâsas. Au fil du temps, ils avaient réussi à mettre au point certaines parades pour contrer les agressions les plus dangereuses. Comme les Dâsas, les Aryas pouvaient accroître leurs pouvoirs grâce à une grande discipline du corps et de l'esprit. À l'instar des Ténébreux, les Savants tendaient vers la perfection de tout leur être, mais dans le but de raffiner leur intelligence, non de renforcer la violence qui habitait toute créature.

Par l'exercice physique, par le jeûne, par la méditation, mais aussi par des jeux mettant en évidence leur puissance mentale, les Aryas étaient parvenus à une certaine sagesse. Leur but n'était pas d'acquérir des pouvoirs magiques, mais plutôt de mettre l'accent sur une bonne santé, le bonheur, la vérité et la non-violence. C'était la raison pour laquelle ils n'utilisaient jamais leurs dons sans y avoir mûrement réfléchi.

Cette fois, Emrys jugea que le moment de se servir de ses pouvoirs ne pouvait être mieux choisi. Aucun Arya ne viendrait lui reprocher d'avoir sauvé sa propre vie. D'abord, il devait détourner l'attention de Max Ankel, car ce dernier, tout comme lui, avait des facultés de télépathie. Et malgré toutes les précautions prises depuis le début de leur altercation, le jeune Arya savait que le Dâsa n'aurait pas beaucoup de mal à se débarrasser des barrières mentales qu'il dressait dans son esprit pour protéger ses pensées. Il devait donc détourner l'attention du Ténébreux en le forçant à parler.

— Bon, tu as vu les Langevin m'aider… mais ensuite? balbutia-t-il, les larmes aux yeux, car Ankel avait resserré sa prise sur son col et il s'étouffait.

— Ce n'était pas compliqué à deviner…, ricana le Dâsa. J'ai réussi à me faufiler à l'hôpital et à assister à ton interrogatoire par les policiers. Vraiment, tu n'es pas très prudent, l'Arya. Tu n'as même pas tenté de détecter notre présence…

Emrys esquissa une grimace. Effectivement, il s'était senti à l'abri, entouré de policiers et de médecins. Était-ce dû au fait qu'il avait emprunté la personnalité d'un adolescent?

Il se sentait invulnérable alors qu'il n'en était rien, évidemment.

Il se demanda si d'autres Gardiens des secrets de la vie avaient les mêmes difficultés que lui à s'intégrer dans ce monde qui ne ressemblait en rien à ce qu'ils avaient connu dans leurs vies antérieures.

— Quand tu es sorti de l'hôpital, les Langevin t'ont ramené chez eux. J'ai mené ma petite enquête dans le voisinage pour déterminer quelle école fréquentaient les enfants de cette famille. C'est fou combien les gens de ce monde peuvent nous en apprendre sans même que nous ayons à utiliser nos forces de persuasion ou la télépathie. Leur vie est un livre ouvert…

Emrys opina de la tête. Pour une fois, il était d'accord avec le Ténébreux.

— Je me suis donc inscrit dans cette école et j'ai influencé la direction pour être intégré dans la classe de Mattéo. Assurément, tu allais toi aussi venir dans cette même classe… Il ne pouvait en être autrement, puisque c'est l'idée que j'ai moi-même introduite dans le cerveau du directeur. Tu vois, c'était très simple, en réalité.

— Pourquoi n'avoir pas tenté de m'éliminer à l'hôpital? Ça vous aurait évité toutes ces complications, s'étonna Emrys, la voix toujours cassée.

Cependant, il avait constaté une légère amélioration de son état. Ankel avait sensiblement relâché sa pression sur son cou. Il respirait mieux depuis quelques secondes, mais son jeu était de n'en rien laisser paraître.

— On a essayé. Nisha était l'une des infirmières… mais elle n'a pas eu le temps d'agir.

Emrys soupira profondément en songeant qu'il l'avait échappé belle. Aurait-il su démasquer Nisha si elle s'était approchée de lui ? Il n'en était pas sûr. Pour échapper aux Dâsas, il avait dû ralentir énormément ses fonctions vitales et n'était plus en état de se servir de ses pouvoirs mentaux à ce moment-là. Avec les Ténébreux, le plus petit relâchement était souvent fatal ; beaucoup de Savants en avaient fait la triste expérience au fil des millénaires.

Constatant que l'esprit d'Ankel était occupé à se remémorer ce qui s'était passé à l'hôpital, Emrys en profita pour repousser les attaques mentales du jeune Dâsa. Sans perdre de temps, il fit surgir de longs filaments de lumière de ses mains. Pour ce faire, il lui suffisait de perturber le champ magnétique autour de lui par ses ondes cérébrales. C'était relativement facile pour un Arya ou un Dâsa, mais pour ainsi dire impossible aux êtres humains, sauf à certains qui revendiquaient des pouvoirs de radiesthésistes ou de magnétiseurs. D'autres possédaient véritablement ce don sans en avoir connaissance ou n'étaient pas en mesure de s'en servir correctement. Toutefois, il y avait beaucoup de charlatans dans ce domaine. Ce savoir-faire faisait partie des connaissances oubliées qu'Emrys était chargé de divulguer.

Les filaments de lumière tournèrent autour du corps d'Ankel à une vitesse impossible à discerner à l'œil nu, même pour un Dâsa ayant la faculté de voir dans le noir. Ils se resserrèrent comme les anneaux d'un serpent et vinrent bloquer les tentatives du Dâsa d'étrangler totalement Emrys. Peu à peu, l'Arya ressentit les mains d'Ankel abandonner son cou. Puis, elles retombèrent mollement le long du corps du Ténébreux. Ce dernier était maintenant à la merci des filaments de lumière qui constituaient autour de lui une cage impossible à franchir. Du moins, pour le moment. Les filaments n'étaient pas éternels, mais Emrys souhaitait seulement qu'ils lui donnent le temps de sortir du cagibi et de retourner en classe, où il serait temporairement à l'abri d'un nouvel assaut.

Incapable de parler à cause des filaments de lumière qui tournoyaient maintenant autour de sa tête, Ankel émit quelques bruits incongrus, résultats des énormes efforts de concentration qu'il déployait pour se libérer.

Emrys profita de la clarté émise par les filaments pour trouver la poignée de porte du cagibi et se glissa dehors. Avisant une grosse étagère chargée de livres, il employa la psychokinèse, c'est-à-dire la seule force de sa pensée, pour la pousser contre la porte. Ce n'était pas un gros obstacle à franchir pour un Dâsa, mais Ankel serait obligé de renverser le meuble et causerait un certain raffut qui attirerait sûrement l'attention sur lui. Il aurait à s'expliquer avec quelques personnes. Emrys comptait profiter de ce petit laps de temps pour fuir l'école en emmenant Mattéo.

Mais tout d'abord, il y avait ce jeune homme assommé dans l'escalier. Il ne pouvait quand même pas le laisser dans cet état. Emrys retourna sur ses pas pour lui porter secours. L'homme sortait à peine de son évanouissement. S'introduisant dans son esprit, l'Arya modifia ses souvenirs des événements qui venaient de se dérouler. Désormais, le jeune homme croirait qu'il était venu chercher Emrys en classe pour le conduire au bureau de la direction. Il n'était plus du tout question de Max Ankel. Ainsi, il ne s'inquiéterait pas de savoir ce qui était arrivé à ce dernier.

Lorsqu'ils passèrent devant le cagibi, Emrys y perçut des bruits étouffés, mais le jeune homme, encore tout étourdi par sa chute, ne les entendit pas. Il remarqua cependant que l'étagère n'était pas à sa place.

— Bon, il y a encore un garnement qui s'amuse dans les couloirs! soupira-t-il.

— Oui, le concierge va devoir jouer au déménageur pour remettre ce meuble à sa place, commenta Emrys, feignant l'innocence, en s'éloignant à la suite de son guide.

Après avoir emprunté d'autres longs couloirs, ils arrivèrent enfin dans la section administrative de l'établissement scolaire. Le jeune homme poussa une grande porte peinte en jaune et l'introduisit dans une grande pièce aux larges baies vitrées qui donnaient sur un boisé enneigé derrière l'école.

— Ah! vous voilà, monsieur Langevin, fit le directeur en désignant un siège de la main.

L'homme se racla le fond de la gorge, comme si cela pouvait l'aider à trouver les mots appropriés pour s'adresser à ce bel adolescent dont le calme et les grands yeux noirs l'impressionnaient.

— Bon, je vous ai convoqué, car j'ai reçu un coup de fil de l'Association de protection et de défense des droits des enfants…

Emrys hocha la tête. Il avait déjà percé les pensées du directeur et savait exactement ce que ce dernier s'apprêtait à dire, mais il n'allait quand même pas le lui laisser savoir.

— Votre cas est très complexe, et leurs ressources sont limitées, poursuivit le directeur. L'assistant social qui s'occupe de vous est d'avis que vous devriez être définitivement admis dans notre établissement. Il m'a confirmé que vous aviez été confié aux Langevin pour un temps indéterminé.

Le visage d'Emrys afficha le large sourire qu'il retenait depuis son entrée dans ce bureau. *Voilà une bonne nouvelle*, songea-t-il. *J'aime bien les Langevin.* Sa pensée se troubla une fraction de seconde : aimait-il les Langevin, ou l'une d'entre eux en particulier ? Il ressentait encore sur ses lèvres le goût du baiser virtuel d'Alixe.

Il remercia le directeur, lui serra la main et, d'un pas joyeux, retourna en classe par le chemin qu'il avait emprunté à l'aller. En passant devant le cagibi du concierge, il s'immobilisa. L'étagère était déplacée et la porte, entrouverte.

Aïe ! Ankel s'est libéré plus vite que prévu… Est-il retourné en classe ou m'attend-il au détour d'un couloir ?

Il projeta son esprit dans les multiples passages de ce véritable labyrinthe qu'était «l'entrepôt», mais il ne perçut aucune présence inquiétante. Il reprit la direction de sa classe en demeurant sur ses gardes.

CHAPITRE 13

Emrys revint en classe comme si de rien n'était et reprit sa place près de Mattéo. Ce dernier lui adressa un signe de tête, une façon de lui demander : « Et alors ? » Puis, il enchaîna dans un murmure :

— Où est Max Ankel ?

— Je ne sais pas ! répondit Emrys très bas. Il a disparu. Je voulais qu'on file d'ici dès le cours terminé, mais maintenant j'hésite. Il doit nous attendre à la sortie.

— Messieurs Langevin, si vous avez quelque chose à dire, vous pourriez en faire profiter toute la classe, les interpella leur professeure de français, mi-irritée, mi-ironique.

Mattéo remua sur sa chaise pour se donner une contenance. Emrys sourit bêtement. Puis, baissant les yeux, il fit semblant de se concentrer sur l'extrait des *Misérables* que l'enseignante leur avait demandé de lire en silence. En le parcourant en diagonale, il était capable de l'apprendre par cœur. Une précaution, au cas où la professeure l'interrogerait sur sa

lecture. Par contre, comme Mattéo ne disposait pas des mêmes facultés, il s'immisça dans
le cerveau de son ami et lui transféra le texte,
sans en omettre une virgule.

— C'est bizarre, lui souffla Mattéo quelques
secondes plus tard. Je connais déjà ce texte sur
le bout des doigts et pourtant, je suis sûr de ne
l'avoir jamais lu.

— Je te l'ai transféré, chuchota Emrys,
comme si c'était normal.

Mattéo avala sa salive et tourna son regard
vers son voisin de droite. Il se demandait s'il
avait bien entendu.

— Trans-fé-ré ? demanda-t-il en hésitant
sur chaque syllabe.

— Oui. Comme dans transmettre à
distance, soupira Emrys. Écoute, je te l'ai déjà
dit, j'ai des pouvoirs particuliers…

*Tiens, je peux même te parler dans ta
tête, sans remuer les lèvres*, entendit Mattéo, tout en remarquant qu'effectivement
Emrys n'avait pas articulé un seul mot à
voix haute.

Mattéo le dévisagea, incapable de croire le
jeune Arya. Et pourtant, il essayait. De toute
son âme, il voulait le croire, mais c'était au-
dessus de ses forces.

— Tu es ventriloque ! s'exclama-t-il plus
fort qu'il ne l'aurait voulu.

Toutes les têtes pivotèrent vers lui. Certains étudiants froncèrent les sourcils, mais la plupart affichèrent un air moqueur.

— Ça suffit! gronda la professeure en relevant la tête des copies d'examen qu'elle était en train de corriger. Les Langevin, dehors!

Mattéo ouvrit la bouche pour protester, mais, de nouveau, il entendit la voix d'Emrys dans ses pensées: *Ne dis rien… C'est la meilleure chose qui puisse nous arriver!*

L'Arya replaça son livre et ses crayons dans son sac à dos. Mattéo, mécaniquement, l'imita, comme s'il était dépossédé de sa propre volonté et que ses gestes étaient commandés par la voix qui parlait dans sa tête.

Je deviens cinglé, songea-t-il.

N'aie pas peur! tenta de le rassurer Emrys sans desserrer les lèvres. *Tu n'es pas fou. Et je n'abuserai pas de cette façon de te parler. Je ne l'emploie que lorsque c'est nécessaire… Allez, viens, sortons!*

Mattéo se glissa derrière Emrys. Il était glacé de la tête aux pieds. La panique l'avait envahi. Lorsque la porte se referma, il sentit ses jambes ployer et il s'écroula, assis contre le mur, incapable d'aller plus loin. Il était blanc comme un drap. Le jeune Arya lui tendit la main pour l'aider à se relever. Mais Mattéo évita de le toucher et s'écarta vivement. Emrys remarqua aussitôt l'effroi dans les yeux de son ami.

— Tu fais quoi? balbutia l'adolescent terrorisé. De la magie noire? Je n'aime pas ça. Je n'aime vraiment pas ça… Ne me touche pas!

— Fais-moi confiance, Mattéo! reprit Emrys à voix haute. Je sais que tu ne me crois pas. Tu penses que j'invente des histoires… mais je te le jure, il n'y a aucune magie là-dessous. Je te l'ai dit: je connais des savoirs oubliés. Viens, nous devons partir d'ici…

Il lui tendit la main une fois encore, se faisant plus pressant:

— Si Max Ankel se pointe, nous allons passer un mauvais quart d'heure.

Le Dâsa ne me pardonnera pas ce que je lui ai fait plus tôt, songea Emrys.

— Qu'est-ce que tu lui as fait? bafouilla Mattéo en prenant maladroitement appui sur ses mains pour se relever.

Emrys sursauta. Il avait oublié de quitter l'esprit de son ami et ce dernier avait lu ses pensées.

— Oh! Je l'ai simplement enfermé dans le placard à balais du concierge!

Mattéo pouffa. Emrys sourit. Sa petite phrase avait détendu l'atmosphère entre les deux garçons.

Bon, ce n'est pas la peine que je lui raconte la véritable bataille tout de suite, se dit le jeune Arya en prenant garde cette fois de ne se parler qu'à lui-même. *Il ne le croira pas et nous ne serons pas plus avancés.*

— Où allons-nous ? l'interrogea Mattéo en désignant des deux mains les deux parties du couloir qui se prolongeait de part et d'autre de la porte de la classe, celle-ci étant située dans l'exact milieu.

— À droite ! fit Emrys.

— Bon… alors, tu veux qu'on quitte l'école ! soupira Mattéo en le suivant. Je te signale quand même qu'on va manquer le cours d'histoire.

— Pas grave… Je te transf… je te ferai un résumé, se reprit Emrys.

— Ma sœur va s'inquiéter si on ne la retrouve pas à la bibliothèque comme prévu, insista encore Mattéo.

— On va passer prendre Alixe à son cours ! répondit l'Arya sans ralentir le pas.

Mattéo dut accélérer pour se maintenir dans son sillage. La bretelle de son sac à dos, qu'il avait passée à son épaule gauche, glissa. Le sac tomba devant lui et il trébucha dessus.

— Tu vas prendre Alixe à son cours… mais comment ? demanda Mattéo, essoufflé.

Emrys ne répondit pas. Il enfila deux à deux une volée de marches pour monter d'un étage. Alixe se trouvait dans la seconde classe sur sa droite. Arrivé sur la dernière marche, il plaqua son sac contre la poitrine de Mattéo qui le suivait.

— Garde ça et reste là !

L'adolescent, trop interloqué par le comportement d'Emrys, ne trouva rien à dire. De toute façon, Emrys était déjà en train de frapper à la porte de la classe.

— Le directeur veut voir Alixe Langevin ! déclara-t-il tout naturellement à l'enseignante qui vint lui ouvrir.

Alixe repoussa sa chaise et se leva, mais aussitôt, s'immisçant dans sa tête, il lui lança : *C'est moi, Emrys ! Prends toutes tes affaires et suis-moi sans rien dire… Je t'expliquerai. Ne crains rien !*

La jeune fille, moins craintive que son frère, obtempéra sans poser la moindre question. Lorsque les deux adolescents eurent rejoint Mattéo, elle s'inquiéta enfin :

— Que se passe-t-il ?

— J'ai eu une altercation avec Max Ankel. On ne peut pas rester ici… Il doit sûrement nous attendre à l'extérieur. Mais comme il reste encore une bonne heure et demie avant la fin des cours, il ne s'attend pas à nous voir sortir tout de suite. On peut déjouer sa vigilance.

— Oui, d'accord ! Mais on ne va quand même pas rester cachés toute notre vie, protesta Alixe. Il va bien falloir qu'on revienne à l'école… et là, gare à toi !

— Je sais ! lança Emrys. Mais pour le moment, je n'ai pas d'autre solution. Je dois imaginer un plan pour les prochains jours. Le plus important est que nous l'évitions aujourd'hui. Après ce que je lui ai fait, il risque de s'en prendre à vous tout autant qu'à moi. Je ne pourrai pas vous protéger tout en défendant ma propre vie. Il est trop fort.

— Tu aurais pu y penser avant, grommela Mattéo. Si tu lui as cassé la figure, c'est sûr que tu vas le payer cher. As-tu vu ses poings ?… On dirait deux blocs d'acier.

— Ce ne sont pas ses poings qui sont les plus dangereux, expliqua Emrys. Il dispose d'armes d'une puissance que tu ne peux même pas imaginer.

— Encore tes conneries ! ragea Mattéo. Tu nous fais manquer des cours juste pour écouter tes âneries… J'en ai marre de toi ! Je comprends tes parents de ne pas te rechercher… Avec un hurluberlu comme toi, ils sont vraiment bénis des dieux !

— Mattéo! l'apostropha Alixe, visiblement catastrophée des propos de son frère.

— Quoi, Mattéo? Non mais, c'est vrai!… Tu gobes tout ça, toi? Eh bien, t'es aussi cinglée que lui! cria l'adolescent, au bord de la crise de nerfs.

Il repoussa sa sœur qui tentait d'entourer ses épaules d'une main protectrice, et s'éloigna dans l'escalier. Alixe et Emrys se hâtèrent de le rejoindre, mais il ne leur adressa pas la parole.

Quelques minutes plus tard, les trois adolescents arrivèrent devant la porte principale de leur école. Emrys devança Mattéo et Alixe pour les empêcher de sortir les premiers.

— Je dois vérifier les alentours, fit-il en regardant à travers la grande porte vitrée.

Toutefois, c'était par son regard intérieur qu'il examinait véritablement les environs. Mentalement, il parcourut le pourtour de l'école. Son examen minutieux le faisait regarder derrière chaque véhicule stationné dans la rue principale, mais aussi dans celles qui la croisaient de chaque côté. Il s'attarda sur chaque arbre, chaque maison. La voie semblait libre.

— Allons-y! fit-il en ouvrant enfin la porte.

L'air frais leur fouetta le visage.

— On va où? demanda Alixe.

— Ton père est à l'université... ta mère travaille à la banque, réfléchit Emrys à voix haute. Les Dâsas doivent sûrement nous attendre devant chez vous, puisqu'ils ne sont pas ici.

J'espère simplement qu'ils ne sont pas entrés dans la maison, songea-t-il. *Si au moins les Langevin avaient un chien... il tiendrait les Dâsas à distance. Oui, mais voilà, ils n'en ont pas. Donc, Ankel et les autres peuvent très bien être installés dans le salon à cette heure-ci !*

— À quoi penses-tu ? lui demanda Alixe.

Elle s'était rendu compte qu'il n'était plus tout à fait avec eux.

— Je pense que le seul moyen d'éviter les Dâsas, c'est de ne pas rentrer à l'heure prévue ! Voyant que nous n'arrivons pas, ils vont se décourager... et nous chercher ailleurs !

Hum ! Gros mensonge ! Mon espoir est que Vitra n'attaquera pas les parents... Je ne leur ai rien raconté, et il le sait. Les Dâsas n'ont aucun intérêt à attirer l'attention sur eux en s'en prenant à des innocents. Non. C'est moi qu'ils veulent ! C'est moche de se servir de Mattéo et d'Alixe comme de boucliers humains, mais je n'ai pas le choix.

— Je suggère que nous allions à la biblio- thèque..., reprit Emrys. Il y a beaucoup de monde qui la fréquente. Nous pourrons y patienter jusqu'à dix-sept heures. Nous ne devons pas nous retrouver seuls dans la maison. Vos parents devraient être rentrés du boulot à cette heure. On pourra ainsi bénéficier de leur protection.

— Tu me fais peur, dit Alixe. Que s'est-il passé? Qu'as-tu fait?

— Eh bien, faites ce que vous voulez, les interrompit Mattéo, mais moi, je retourne à la maison… J'en ai vraiment marre de vos histoires!

Il fit demi-tour et s'éloigna.

L'entêtement de Mattéo poussa le jeune Arya dans ses derniers retranchements. Il leva la main. Aussitôt, son ami se retrouva figé, incapable de faire un pas de plus. Comme s'il était collé au trottoir.

— Il n'en est pas question! s'exclama fermement Emrys. Tu restes avec nous!

Depuis qu'il fréquentait les deux adolescents Langevin, Emrys se rendait compte qu'il avait du mal à contenir l'impatience et l'exaspération qui montaient parfois en lui. Il se savait apte à contrôler ses émotions en toutes circonstances, mais se sentait de plus en plus gagné par l'énervement et l'irritation, des sentiments auxquels il n'avait trouvé qu'une seule explication. Peut-être était-ce dû au choix qu'il avait fait d'incarner un adolescent de cette époque? En plus de l'apparence physique, il devinait qu'il était en train d'en adopter le comportement et les émotions à fleur de peau. Il inspira profondément pour ramener le calme en lui. Ses longues séances quotidiennes de yoga lui manquaient. *Je dois m'y remettre rapidement*, songea-t-il. *S'il y a un endroit où je dois mieux me contrôler, c'est bien dans ce monde imparfait.*

— Emrys! l'appela doucement Alixe en lui touchant le bras.

— Oh, pardon! fit-il en reprenant pied dans la réalité. Ton frère joue un peu avec mes nerfs...

— Il est... euh... figé? fit la jeune fille, un soupçon d'angoisse dans la voix.

— Légèrement! répondit Emrys. Ne t'en fais pas. Il va nous suivre sans faire d'histoires.

L'Arya s'introduisit une nouvelle fois dans le cerveau de Mattéo. *Écoute! Je ne veux pas te forcer à venir avec moi. Je veux simplement que tu comprennes que c'est ce qui est le mieux pour ta sécurité. Les Dâsas sont très dangereux. Je tiens seulement à te protéger. Viens avec nous à la bibliothèque. Plus tard, dans la soirée, si tu tiens toujours à te débarrasser de moi, eh bien... je partirai! Je ne peux pas t'obliger à croire en moi!*

Dès qu'Emrys eut quitté ses pensées, Mattéo constata qu'il était libre de ses mouvements.

Cependant, la peur l'habitait tout entier. La démonstration d'Emrys était très éloquente. Plus que tous les mots qu'il lui avait dits ou suggérés.

OK, il connaît des tours de magie incroyables, c'est certain ! réfléchit Mattéo. *J'en reviens pas... il m'a collé au trottoir. Ouais, il y a de la magie là-dessous. Mais comment s'y est-il pris ? Il a dû suivre des cours avec un sacré bon pro... Criss Angel, peut-être ! Oui, c'est ça, il n'y a que Criss Angel pour inventer des tours aussi forts.*

Brusquement, il pivota vers sa sœur et Emrys.

— Très bien, Harry Potter ! lança-t-il sur un ton qu'il se força à rendre enjoué. Je viens avec vous... Mais ne me joue plus jamais un tour comme celui-là !

L'Arya fronça les sourcils. Il n'avait jamais entendu parler du petit sorcier anglais et n'avait donc aucune idée de ce que son ami voulait dire.

— Mattéo retrouve son sens de l'humour, c'est une bonne chose, murmura Alixe.

Sa désinvolture ne sonne pas tout à fait vrai, mais le principal est qu'il nous suive, songea Emrys en glissant son bras droit sous celui d'Alixe, et le gauche sous celui de Mattéo.

CHAPITRE 14

À leur arrivée à la bibliothèque, les trois adolescents furent soulagés de constater que plusieurs personnes s'y trouvaient déjà. Ils s'installèrent en retrait près d'une fenêtre, en prenant soin, cependant, de rester visibles des autres lecteurs.

— Puisque je n'ai pas le choix d'être ici, je vais en profiter pour faire mon travail de maths, bougonna Mattéo en sortant ses livres de son sac à dos.

— Ne veux-tu pas connaître la suite de l'histoire des Géants ? s'étonna Alixe, elle-même tenaillée par la curiosité.

— Je m'en fiche. Elle est nulle, son histoire… Si tu tiens tant que ça à écouter ses âneries, fais ce que tu veux. Ne vous occupez pas de moi.

Il ramassa ses livres et s'installa à la table voisine. Alixe leva les yeux au ciel, exaspérée. Elle ne comprenait pas du tout l'entêtement de son petit frère. Elle ne le reconnaissait pas. D'habitude, il se montrait si curieux, si enclin à jouer des tours, tellement moqueur… C'était incompréhensible. Elle tourna ses beaux yeux verts en direction d'Emrys, lui sourit et l'encouragea à poursuivre son récit.

— Où en étais-je ? fit le jeune Arya. Ah oui…

« Hobab, Talmaï et Og rentrèrent bredouilles à La Colline. Ils étaient très gênés de ce qui leur était arrivé. Comment expliquer au roi Antée que leur vimana et leur automate avaient été détruits ? Et surtout qu'ils revenaient sans le précieux bois de cèdre, qui plus est, sans comprendre ce qui s'était réellement passé dans la Forêt sacrée des Cèdres, car jamais ils n'avaient vu Humbaba, l'Homin ?

« Leur vailixi, passablement cabossé après les péripéties survenues au Gondwana, se posa sur l'aérodrome tout neuf qui venait d'être construit près de la capitale des Géants. Des Namlù'u se précipitèrent vers le vaisseau. Plusieurs se demandaient ce qui était arrivé à l'appareil. Mais rapidement l'inquiétude fit place au soulagement lorsque les trois ambassadeurs apparurent, sains et saufs. En vol, Og avait pris contact avec le roi Antée pour lui faire un court rapport de leur mission ratée. Il ne fut donc pas étonné lorsque Sikhon lui annonça que le roi l'attendait dans le nouveau palais royal, construit au cœur de la nouvelle cité creusée dans le sol.

« Pour sa part, Talmaï conduisit Hobab vers une maison qui lui servirait de lieu de détention, en attendant qu'Antée et le conseil statuent sur son sort.

« Lorsque Og pénétra dans la salle, il remarqua que tous les autres conseillers l'attendaient impatiemment. Sur leurs visages, il lut de la stupeur et de l'interrogation, mais aucune colère, ce qui était plutôt bon signe… pour Hobab, surtout. Il raconta exactement ce qui s'était passé à Khass, le poste avancé des Aryas. Il décrivit la cité telle qu'il l'avait vue et comment l'image d'Indra lui était apparue. Puis, il expliqua ce qui leur était arrivé dans la forêt. À cela, il n'avait aucune explication. C'était comme si la nature s'était déchaînée d'un seul coup.

— Je n'avais jamais vu un endroit nous rejeter avec une telle vigueur. Cette forêt recèle des forces obscures… Les Aryas ne la fréquentent pas. Elle est assurément hantée… Je ne sais pas quels êtres en ont fait leur domaine, mais, croyez-moi, en ce qui me concerne, je n'y remettrai jamais les pieds. Nous avons eu la vie sauve cette fois, mais rien ne garantit qu'il en sera de même si nous y retournons.

— Tu as dit que le roi des Aryas a offert de nous donner du bois d'ébène et d'iroko pour terminer nos maisons. Qu'en penses-tu ?

Est-ce une proposition sérieuse ? Pouvons-nous compter sur leur aide ? s'enquit Antée.

— Je suis d'avis qu'il faut accepter cette offre…, confirma Og. Ce sont des bois solides et précieux, très résistants aux maladies et au temps. C'est le meilleur choix en l'absence de bois de cèdre.

« En entendant cela, Skoll le bâtisseur fit la grimace. Mais Antée l'avait prévenu : il était hors de question que les Géants envoient une autre troupe dans la Forêt sacrée des Cèdres. Il savait donc qu'il n'avait d'autre choix que de se plier à la décision du roi.

— Eh bien, c'est entendu ! reprit le roi. Og, tu vas retourner à Khass pour reprendre contact avec les Aryas et accepter leur offre. Emmène Talmaï. Les Aryas vous connaissent maintenant. Quant à Hobab, eh bien…

Le roi hésita une fraction de seconde.

— Il sera destitué de son poste de surveillant des frontières puisqu'il n'a pas su faire son travail correctement. Il travaillera ici, à la construction de La Colline, sous les ordres de Skoll.

« Et ce fut ainsi que les Géants s'installèrent dans le sud de la Laurasia… »

— Ha ! ha ! ha ! se moqua brusquement Mattéo qui avait prêté une oreille attentive au récit d'Emrys, même s'il avait dit ne pas s'y intéresser. Je le savais… Elle est nulle, ton histoire. Ta fin est idiote…

Même Alixe semblait déçue; Emrys le vit bien à l'air qu'elle affichait.

— Non, ce n'est pas la fin! reprit le jeune Arya sur un ton ferme.

Il jeta un coup d'œil par la fenêtre, comme s'il craignait de voir apparaître les Dâsas dans la rue. Mais il n'y avait personne. Inspirant plusieurs fois, il poursuivit son récit.

« Pendant plusieurs milliers d'années, les Namlù'u vécurent tranquillement dans leur capitale enfouie dans le sol. De temps à autre, ils reprenaient contact avec les Aryas du Gondwana, surtout pour obtenir du bois ou des plantes rares dont ils tiraient des colorants pour leurs vêtements ou des médicaments. Mais les échanges entre les deux peuples étaient très rares. Il pouvait se passer plusieurs dizaines d'années sans qu'ils entrent en communication. Les Aryas entretenaient essentiellement des relations avec les ambassadeurs Og et Talmaï. »

Alixe remarqua aussitôt que le ton d'Emrys s'était modifié. L'adolescent semblait très triste, comme s'il s'apprêtait à leur annoncer une mauvaise nouvelle.

— Que se passe-t-il, Emrys? Tu as l'air mal à l'aise.

Elle se tourna vers la fenêtre pour examiner la rue. Elle craignait d'y voir apparaître la silhouette de Max Ankel emmitouflé dans son manteau rouge.

Ou pire encore, les trois Dâsas qu'Emrys redoutait tant. Mais elle ne vit qu'une jeune femme qui, poussant un landau, se dirigeait vers le grand parc, en face de la bibliothèque.

Le jeune Arya murmura très vite, comme s'il espérait que ses amis ne l'entendent pas :

— Il y a eu la guerre entre les Géants et les Aryas…

— La guerre ! s'écria Alixe très fort.

Son exclamation lui attira de nombreux « chut ! » de la part des personnes présentes dans la bibliothèque, et la bibliothécaire la dévisagea en lui faisant des gros yeux.

— La guerre ? répéta-t-elle tout bas, tandis qu'Emrys se contentait de hocher la tête.

— Raconte…, le pressa-t-elle.

Emrys soupira avant de reprendre, presque en s'excusant :

— Nous, les Aryas, nous sommes un peuple très pacifique. Depuis des millénaires, nous disposons de connaissances qui peuvent complètement anéantir la Terre. Nous ne nous en sommes que peu servis, mais notre histoire ancienne a été marquée par quelques catastrophes… Vous avez compris que les

Namlù'u s'étaient installés à seulement quelques heures de vol de notre continent.

Alixe secoua la tête pour indiquer qu'elle avait bien suivi le fil de son histoire et pour l'encourager à la poursuivre.

— Ils avaient construit une splendide cité qui reflétait une organisation et une culture très élaborées. Les villes des Géants commerçaient entre elles, car leurs artisans produisaient des objets de qualité. Ils fabriquaient de superbes bijoux et d'autres articles en cuivre, en or, en acier, en obsidienne, et même agrémentés de coquillages pour ceux qui vivaient près de l'océan. Leurs bijoux et leur vaisselle de céramique ou de bois étaient d'une grande beauté. Ils en avaient même offert à Indra, en remerciement pour le bois d'ébène, d'iroko et même de teck que les Aryas leur avaient fourni.

« Les Géants étaient également très doués pour réaliser de belles peintures murales. Leurs résidences étaient somptueuses, bien décorées. Plusieurs d'entre eux, qui ne s'étaient pas installés dans la capitale, vivaient dans des lieux au climat assez chaud. Beaucoup avaient donc établi leurs maisons dans des grottes ou des endroits protégés du soleil qu'ils décoraient de peintures diverses, représentant surtout des animaux comme des taureaux, des béliers, des cerfs... D'autres, ayant élu domicile dans des secteurs où la température était plus clémente, pratiquaient une agriculture très développée. Ils cultivaient du blé, de l'orge, des petits pois, des pois chiches, des lentilles. Ils pouvaient aussi cueillir des pommes, des amandes, des pistaches et toutes sortes de baies qui poussaient librement. Leur région était également bien pourvue en gibier : cerfs, sangliers, onagres… »

Voyant que Mattéo fronçait les sourcils, se demandant vraisemblablement de quel animal il s'agissait, Emrys précisa :

— C'est une sorte d'âne sauvage.

« Les Namlù'u étaient donc parfaitement autonomes et vivaient en paix, chez eux. Leur longévité était exceptionnelle… Ils pouvaient vivre environ mille ans avant d'être obligés de se réincarner. »

— Hein ? s'étouffa Mattéo. Se réincarner ? Tu veux dire revenir au monde dans un autre corps ?…

— Oui, c'est ce qu'il a dit ! souffla Alixe.

— Dans les Premiers Temps, continua Emrys en opinant de la tête, la réincarnation était la façon la plus simple de s'approprier un corps plus jeune. N'oubliez pas que les Géants et les Aryas étaient hermaphrodites. Lorsque le moment était venu pour un Namlù'u de changer de corps, il avait simplement à se reproduire avec un autre Géant ayant des caractéristiques sexuelles opposées. Lorsqu'il renaissait, il était doté des mêmes connaissances, des mêmes qualités et des mêmes défauts que ceux qu'il possédait à sa mort. Souvent, il gardait aussi le même nom, ce qui permettait à tous de savoir à qui ils avaient affaire… Les Aryas faisaient la même chose.

« C'est la raison pour laquelle, pendant des millénaires, Og et Talmaï furent les seuls Géants à se rendre à Khass en tant qu'ambassadeurs.

« Malheureusement, un jour, les choses changèrent. Comme cela s'était passé plusieurs milliers d'années auparavant à Thulé, les conditions météorologiques se modifièrent dans le sud de la Laurasia. Au début, cela se fit lentement, très subtilement. Les journées devinrent de plus en plus chaudes, mais personne n'y porta vraiment attention.

« Toutefois, les tremblements de terre qui ébranlaient la région de temps à autre se firent brusquement plus nombreux, plus rapprochés et surtout plus violents. Plusieurs villes namlù'u furent détruites sans que les surveillants des océans, des volcans et des étoiles ne puissent le prévoir. Il y eut des milliers de morts qui, ne s'étant pas préparés à perdre la vie, ne purent se réincarner.

« D'énormes bouleversements géologiques modifièrent à tout jamais le paysage du sud de la Laurasia. Des lacs furent engloutis en quelques jours. Des montagnes se fracturèrent, déversant des milliers de rochers pesant jusqu'à plusieurs tonnes sur des villages de Géants, les anéantissant tout entiers. Des cités construites dans les grottes furent ensevelies, murées pour plusieurs millénaires. Ce furent des moments horribles pour les Namlù'u.

« Au Gondwana aussi, plusieurs phénomènes climatiques et géologiques de forte importance survinrent. Des cités furent détruites complètement. Des milliers d'Aryas perdirent également la vie. La belle cité de Khass fut entièrement rayée de la carte. Heureusement, ce n'était qu'un poste de surveillance qui n'était fréquenté que par quelques gardes appelés les Veilleurs. Ceux-ci, alertés d'abord par la fuite des animaux de la région, puis par des séismes à répétition, avaient vite évacué les lieux.

« Ces tourments se déroulèrent sur plusieurs centaines d'années. Mais un jour, le conseil des Namlù'u fut réuni par le roi Antée qui s'était déjà réincarné deux fois depuis que les Géants s'étaient établis à La Colline.

— L'étendue d'eau qui nous sépare du Gondwana ne cesse de s'agrandir d'année en année, déclara-t-il aux Anakim et aux Namlù'u originaires de Thulé. Si nous persistons à nous accrocher à ce côté de l'océan, notre terre sera un jour emportée au loin… vers le vaste inconnu. Qui peut dire ce qu'il adviendrait alors de nous! Nous devons prendre des décisions importantes pour l'avenir de notre peuple… Je souhaite que chacun d'entre vous exprime ses idées pour assurer notre survie.

« Ceux qui avaient connu la splendide Thulé avaient déjà vécu des moments aussi difficiles. Mais ils étaient prêts une fois encore à fuir et à tout abandonner derrière eux pour survivre. Pour les Anakim, qui n'avaient jamais vécu ailleurs que dans le sud de la Laurasia, qui en connaissaient chaque cours d'eau, chaque montagne, chaque pierre, chaque brin d'herbe, la décision était beaucoup plus délicate à prendre.

— Je ne vois qu'une solution, déclara Og. Nous devons abandonner notre terre et fuir de nouveau vers le sud… Nous devons nous réfugier au Gondwana.

« Un grand brouhaha anima les conseillers royaux. Abandonner la Laurasia. Pour Anak, cette idée était totalement inconcevable.

— Les Anakim ne quitteront jamais leur continent! s'écria-t-il, révolté.

— Nous connaissons bien le Gondwana maintenant, intervint Talmaï pour apaiser ses craintes. Les Aryas sont pacifiques et ils accepteront de nous accueillir.

— Qu'exigeront-ils en retour? demanda Sikhon qui, comme son frère Og, croyait que la fuite était la seule solution.

— Ils exigeront que nous nous soumettions à leur autorité et adoptions leurs façons de vivre, expliqua Og. Mais ils ne sont pas si différents de nous, si ce n'est qu'ils sont plus petits en taille. Nous nous intégrerons facilement.

« Pendant des heures, les Namlù'u débattirent longuement des options qui s'offraient à eux. Et elles n'étaient pas si nombreuses. Ils avaient le choix de rester en Laurasia et de voir leurs terres s'écarter inexorablement du Gondwana, jusqu'à s'en séparer complètement pour partir à la dérive. Ou alors, d'abandonner à tout jamais leur pays pour se joindre aux Aryas et tenter de reconstruire leur civilisation sur un nouveau territoire.

« Les partisans d'Og tentèrent de convaincre les Anakim que la fuite était la meilleure solution, en vain. Puis, alors qu'Antée allait trancher entre les deux factions pour imposer son choix, une troisième option commença à se manifester par des paroles violentes. Les chasseurs-guerriers Sippai et Lahmi suggérèrent de recourir à la guerre.

— Pourquoi devrions-nous partager des terres avec les Aryas? Jamais je n'accepterai que ces êtres insignifiants et faibles me donnent des ordres, gronda Lahmi, l'un des meilleurs chasseurs namlù'u.

« Les chasseurs, qui étaient aussi de redoutables guerriers, constituaient une caste à part chez les Géants. Ils étaient appelés les Enfants de Mimas, du nom de leur chef. Ils étaient rebelles, forts, redoutables et, à force de chasser, avaient acquis un goût particulier pour la bagarre et le sang.

« Petit à petit, le point de vue de Lahmi et Sippai rallia quelques voix. Les discussions reprirent de plus belle et finirent par s'éterniser. Pendant quelques dizaines années, les parties en présence cherchèrent à convaincre les autres de se joindre à elles, sans qu'aucun clan ne parvienne à obtenir la majorité des voix des Géants.

« Mais un jour, il fallut prendre une décision. Les conditions géologiques et météorologiques se dégradaient de plus en plus. Les Namlù'u comprirent qu'ils ne pouvaient plus retarder leur décision. Vint donc le moment de compter ceux qui étaient en faveur de l'abandon pur et simple de la Laurasia et d'une demande d'asile chez les Aryas. Presque tous les Géants originaires de Thulé se rangèrent derrière Og et Talmaï qui prônaient une coexistence pacifique avec leurs voisins. Quelques Anakim donnèrent leur voix à Anak qui préférait rester en Laurasia et courir le risque de vivre sur un continent qui, au fil des millénaires, s'éloignerait des autres terres. Et, malheureusement, les Enfants de Mimas obtinrent la majorité.

— Le conseil a décidé que les Namlù'u devaient envahir le Gondwana et chasser les Aryas de leur continent, déclara finalement Antée, la mort dans l'âme. Préparons-nous à la bataille !

« Le roi des Géants réprouvait la violence, mais il n'avait pas le choix de se soumettre, car les partisans de la guerre étaient les plus nombreux. Les Namlù'u se lancèrent donc dans la conception et dans la construction d'armes redoutables. Bientôt, la Terre serait le théâtre d'effroyables scènes de destruction qui pourraient concourir à sa perte. »

— Bon, c'est bien beau, les fables ! Mais il est presque dix-sept heures, s'écria soudain Mattéo en replaçant ses livres dans son sac à dos. J'ai accepté d'écouter ton histoire jusqu'au bout, mais là, je rentre à la maison.

Alixe se tourna vers Emrys. Ce dernier hocha la tête et décrocha son sac à dos qui pendait au dossier de sa chaise. La jeune fille l'imita.

Les trois adolescents sortirent de la bibliothèque. Encore une fois, Emrys examina attentivement les alentours. Aucune trace des Dâsas. Il ne montra pas son inquiétude à ses amis.

Les Dâsas nous attendent dans la maison... c'est certain! Comment empêcher cette tête de mule de Mattéo de tomber dans un piège? se dit-il.

Il sentit la main d'Alixe se glisser dans la sienne et la presser légèrement.

— Ne t'inquiète pas! murmura la jeune fille dont il sentit le souffle contre sa joue. Tout ira bien.

Il en était beaucoup moins sûr, mais il ne le lui dit pas, se contentant de lui sourire.

CHAPITRE 15

Mathilde tourna la clé dans la serrure de la porte d'entrée au moment où Arnaud stationnait sa voiture. Ils entrèrent dans leur maison, elle par-devant et lui par la porte de côté qui s'ouvrait sur le garage. Tout leur paraissait silencieux dans la résidence.

— Alixe, Mattéo! cria Mathilde, en vain.

Elle retira son manteau et ses bottes et les rangea dans le placard de l'entrée. Les bras chargés de sacs d'épicerie, elle se dirigea vers la cuisine. Elle perçut un bruit de conversation dans le salon et réalisa que c'était la télévision.

— Venez m'aider! lança-t-elle encore, mais personne ne lui répondit.

Ce fut Arnaud qui les découvrit. Ils étaient quatre, entièrement vêtus de rouge. Trois d'entre eux étaient assis sur le canapé de cuir au milieu du salon, tandis que le quatrième, le plus âgé, se promenait dans la pièce, examinant les objets qui s'y trouvaient.

— Votre miroir magique sert à diffuser de sacrées bêtises! lança Nisha en appuyant sur les boutons de la télécommande pour changer de chaîne de télévision.

— Je ne comprends pas que vous soyez si attirés par de telles idioties, ajouta Ahi.

— Qui... Qui êtes-vous ? bredouilla Arnaud en tentant de battre en retraite.

Mais, à sa plus grande terreur, il s'aperçut qu'il était incapable de faire un pas, que ce soit vers l'avant ou vers l'arrière. Il était totalement paralysé. Sur le plancher de bois, il entendit les pas de sa femme qui s'approchaient, mais ne parvint pas à l'avertir du danger qui la menaçait.

— Que faites..., demanda Mathilde en s'immobilisant aussitôt, saisie d'effroi en découvrant des inconnus sur son canapé, et en apercevant son époux, figé par la peur.

— N'ayez crainte, lui répondit Max Ankel en éteignant la télévision. Nous ne vous ferons aucun mal si vous ne tentez rien contre nous.

— Nous voulons l'Arya..., enchaîna Nisha. Donnez-le-nous et nous partirons sur-le-champ.

Arnaud, la gorge sèche, laissa échapper un « Quoi ? » éraillé.

C'est étrange. Il n'a vraiment aucune idée de ce qu'est un Arya, fit Vitra par télépathie à l'intention des autres Dâsas. *J'ai sondé sa pensée, sa surprise n'est pas du tout feinte.*

— Emrys, précisa Ankel. Où est Emrys ?

— Je… je ne sais pas ! soupira Arnaud qui ne comprenait pas du tout ce qui se passait. Vous êtes des amis ?

Les quatre Dâsas éclatèrent d'un rire étrange, aigrelet, sinistre, qui donna froid dans le dos à Mathilde.

— On peut dire ça comme ça…, ricana Ankel.

— J'imagine que vos enfants et l'Arya ne vont pas tarder à rentrer… Nous allons les attendre tranquillement, reprit Vitra.

D'un geste, il fit décamper ses acolytes du canapé, puis ordonna à Mathilde et à Arnaud d'y prendre place. Les Langevin se rendirent compte qu'ils n'avaient aucun moyen de s'opposer à cet homme aux cheveux roux et au teint mat, vêtu d'un long manteau pourpre. Leurs membres lui obéissaient sans hésitation. Il s'était emparé de leur volonté et pouvait faire d'eux ce qu'il voulait. C'était absolument terrifiant.

Une dizaine de minutes plus tard, les adolescents furent en vue de la résidence des Langevin. Au moment où le trio longeait le parc, Emrys se précipita sur Mattéo et le ceintura. Ce dernier se débattit de toutes ses forces, mais l'Arya était plus fort physiquement et surtout mentalement. Se méfiant des prises de judo de Mattéo, il prit soin de l'immobiliser au sol.

— Il est hors de question que tu entres dans la maison sans que j'aie vérifié si elle est sûre.

— T'es vraiment cinglé! cria Mattéo. T'es un fou dangereux. Lâche-moi! Alixe, au secours!

La jeune fille n'eut pas un geste pour l'aider. Elle avait les larmes aux yeux. Elle espérait faire le bon choix en croyant Emrys.

— Détache les mousquetons des sacs à dos et attache les bretelles bout à bout, commanda Emrys à Alixe.

La jeune fille fit ce que l'adolescent lui demandait, formant ainsi de solides liens avec lesquels Emrys ligota Mattéo.

— Je suis désolé, vieux. Je dois m'assurer que ta maison ne présente aucun danger avant de te laisser y entrer… Alixe, reste ici et surveille-le! Ce serait trop bête qu'il se blesse en tentant de se libérer.

À pas de loup, il s'approcha de la maison des Langevin. De la lumière filtrait par la fenêtre du salon. La porte du garage n'avait pas été refermée. Il aperçut l'automobile d'Arnaud. Se tenant à une certaine distance pour ne pas être repéré, il sonda mentalement l'intérieur de la résidence. Il commença par la cuisine, qui était vide. Il poursuivit son exploration avec le bureau d'Arnaud, puis la salle d'exercice.

Lorsqu'il aborda le salon, il n'eut pas besoin de chercher longtemps. Trois silhouettes de Dâsas clignotaient comme des néons fluorescents. Il découvrit Arnaud et Mathilde, paralysés par la peur, mais néanmoins libres de leurs mouvements, ce qui le rassura partiellement.

Il allait revenir vers Mattéo et Alixe lorsqu'il s'immobilisa. Un Dâsa l'avait repéré. Il comprit immédiatement que c'était Ahi et que le jeune commando n'était pas dans la maison, mais se tenait juste derrière lui. Il pivota au moment où, du bâton d'énergie manié par ce dernier, jaillissaient des éclairs de feu. Il eut juste le temps de se projeter sur le côté. Les flammes le frôlèrent, brûlant la manche droite de son manteau et faisant fondre instantanément la neige accumulée sur un muret au bord du trottoir.

Un cri ou plutôt un hurlement lui parvint. C'était Alixe qui avait assisté de loin à l'altercation et qui courait vers eux. Ahi leva son bâton d'énergie et le pointa vers elle. Sans réfléchir, Emrys bondit sur les épaules du Dâsa, même si ce dernier était plus grand et plus costaud que lui. Cela suffit pour faire dévier le tir dirigé vers Alixe. Le jet de feu frappa le tronc d'un arbre qui s'enflamma. Alixe se figea, ses yeux hagards fixant le chêne qui brûlait. Emrys et Ahi roulèrent sur le sol. L'Arya luttait de toutes ses forces pour empêcher le Dâsa de le toucher de son arme foudroyante qui avait été réglée pour tuer.

À deux pas de là, Mattéo, terrifié, gisait toujours sur le sol. Il était incapable d'agir à cause des liens que lui avait passés Emrys, mais aussi à cause de la peur. Mais la vie de sa sœur était en jeu. Alors, faisant un effort considérable pour maîtriser sa terreur, il vida son esprit et respira profondément, ramenant un certain calme en lui, comme on le lui avait enseigné au judo.

— Alixe, vite, vite! Détache-moi! cria-t-il à l'intention de la jeune fille, toujours immobile.

Elle ne semblait pas l'entendre. Elle ne cessait de fixer les corps entremêlés du Dâsa et d'Emrys qui roulaient à ses pieds. Brutalement, elle prit conscience de la scène qui se déroulait devant elle et entendit enfin les appels de son frère. Elle se précipita vers lui et, avec fébrilité, ses doigts engourdis défirent les nœuds.

Mattéo se précipita dans le parc à la recherche de l'amas de grosses pierres des champs dont les jardiniers se servaient l'été pour délimiter les platebandes. À grands coups de botte, l'adolescent entreprit de détruire l'enveloppe de glace qui entourait une grosse pierre. Comprenant finalement ce qu'il avait en tête, Alixe l'aida à dégager le gros pavé. Ils entendaient distinctement Emrys et le Dâsa qui continuaient à se battre. Il fallait qu'ils interviennent rapidement, sinon leur ami allait avoir le dessous et périr.

Une fois la pierre en main, Mattéo courut vers les lutteurs. Il abattit son projectile avec violence sur le bâton d'énergie qu'Ahi tentait de retourner contre Emrys. Un craquement sec retentit. Ahi essaya de tirer l'arme sous lui pour la protéger, mais Mattéo posa le pied dessus, puis, d'un autre violent coup de pierre, réduisit le bâton de mort en miettes.

Mattéo leva une fois de plus le pavé : il hésitait à l'abattre sur le crâne de l'adversaire d'Emrys. Il n'avait jamais eu à utiliser la force auparavant, et surtout pas de cette manière.

— Non, ne fais pas ça ! Tu pourrais le tuer ou même blesser Emrys, lui lança Alixe en se rendant compte de son intention.

Elle extirpa son téléphone portable de sa poche.

— Je vais appeler la police.

Elle avait à peine achevé sa phrase qu'un retournement de situation les laissa, elle et son frère, ébahis. Tel une anguille, Emrys se faufila par-dessus son adversaire, pourtant beaucoup plus fort et corpulent que lui. Il glissa son index et son majeur à la base du cou d'Ahi et appuya fermement. Aussitôt, le corps du Dâsa eut un soubresaut… et, contre toute attente, s'immobilisa, inerte.

Le jeune Arya, essoufflé par la bagarre, se releva lentement.

— C'est une prise paralysante, murmura-t-il en guise d'explication avant de s'écrouler, épuisé, sur le trottoir. Merci pour ton aide, Mattéo. Si tu n'avais pas détruit le bâton d'énergie, Ahi m'aurait exterminé.

— Et nos parents ? ! s'inquiéta Alixe en levant les yeux vers sa demeure.

Dans la maison, personne ne semblait avoir eu connaissance de l'altercation.

— Il y a trois Dâsas à l'intérieur, répondit Emrys. Je ne sais pas si Ahi a eu le temps de les prévenir que nous étions de retour ou s'il a agi sans en avertir ses complices.

— Que devons-nous faire ? l'interrogea Mattéo. On ne peut pas laisser mes parents avec ces individus.

— C'est peut-être le moment de prévenir la police, intervint Alixe, prête à composer le numéro d'urgence sur son téléphone portable.

— Non, attends ! la retint Mattéo. Les… euh… gens à l'intérieur, ils peuvent prendre nos parents en otages s'ils se sentent coincés.

Alixe ferma aussitôt le rabat de son téléphone et tourna son visage pâle vers Emrys qui se relevait péniblement.

— Je vais me rendre…, déclara l'Arya. Lorsqu'ils m'auront, ils libéreront vos parents. Je me débrouillerai avec Vitra, Nisha et Ankel.

— Non ! fit Alixe en l'agrippant par le bras. Tu l'as dit toi-même, ils ne font pas de prisonniers. Ils vont te tuer.

Emrys fixa de nouveau son esprit sur la résidence des Langevin. Par clairvoyance, il pénétra dans le salon… Il était vide ! Plus aucune trace des Dâsas, d'Arnaud ou de Mathilde. Fébrilement, il visita toutes les pièces de la cave à l'étage. Personne.

D'un pas chancelant, il avança vers la maison, sans la quitter du regard. Alixe et Mattéo, intrigués, le suivirent en hésitant.

Emrys tourna la poignée de la porte d'entrée qui s'ouvrit. Il entra dans la maison en prenant soin de ne faire aucun bruit. Alixe et Mattéo étaient toujours sur ses talons. Ils se dirigèrent vers le salon, et s'arrêtèrent sur le seuil. La pièce était sens dessus dessous. Des magazines, qui d'habitude étaient disposés sur une table basse près du canapé, jonchaient maintenant le sol. Deux lampes étaient renversées. Leurs ampoules brisées témoignaient de la violence du coup qui les avait fait choir. D'autres bibelots avaient été projetés aux quatre coins de la pièce. Une chaise était cassée.

— Il y a eu une bagarre ici! constata Alixe en s'avançant dans la pièce.

— Maman, papa! hurla Mattéo, sans obtenir de réponse. Mes parents… Où sont mes parents? reprit l'adolescent affolé en tournant sur lui-même, ne parvenant pas à comprendre comment ils avaient pu disparaître de leur maison.

— Les Dâsas les ont emmenés…, laissa tomber Emrys.

— Mais… ce n'est pas possible! Tu as dit qu'ils ne faisaient pas de prisonniers! cria Alixe, au bord de la crise de nerfs.

— Ils ne font pas de prisonniers aryas, reprit calmement Emrys. Mais ils semblent faire une exception pour les autres êtres… Je suis désolé!

— Tu es désolé! hurla Mattéo. Tout ça, c'est ta faute! Si tu n'étais pas venu chez nous, ça ne serait pas arrivé. C'est ta faute… c'est à cause de toi. Mes parents sont en danger à cause de toi!

Il s'écroula sur le tapis, en larmes. Alixe se pencha vers lui et l'attira contre elle pour le bercer comme un bébé que l'on console. Pourtant, elle non plus ne pouvait s'empê-cher de penser que rien de tout cela ne serait arrivé si elle n'avait pas insisté pour qu'Emrys vienne vivre chez eux. Elle se sentait terrible-ment coupable.

— Je pense que les Dâsas les ont emmenés pour les interroger sur mon compte, ajouta Emrys avec un calme qui révolta Alixe. Lorsqu'ils constateront qu'ils ne savent rien de moi, je suis sûr qu'ils les relâcheront.

— Tu en es sûr?! lui lança-t-elle, furieuse. Ce ne sont pas tes parents qui ont été enlevés… Tu peux dire ce que tu veux! Tout ça ne t'atteint pas, toi!

Puis elle se mordit les lèvres, regrettant ses paroles. Comment pouvait-elle en vouloir à Emrys, alors que les responsables étaient les Dâsas? En fait, elle ne savait plus quoi penser. Elle se sentait tellement chamboulée, totalement désemparée.

Emrys s'accroupit près d'elle et écarta une mèche violette qui pendait devant ses yeux. Il serra Mattéo et Alixe contre lui.

— Je vais les retrouver. Je vous le promets!

À suivre…

LEXIQUE

Anneau de métal (un) : unité de mesure des Premiers Temps qui équivaut à 100 g

Aquamorphe (adj.) : qui est formé d'eau

Bâton de corde (un) : unité de mesure des Premiers Temps qui équivaut à 50 mètres

Canne (une) : unité de mesure des Premiers Temps qui équivaut à 3 mètres

Canopée (la) : étage supérieur d'une forêt comprenant le sommet des arbres

Explorateurs (les) : les espions namlù'u ou aryas qui font des incursions de l'autre côté de la frontière.

Graine de caroube (une) : unité de mesure des Premiers Temps qui équivaut à 200 mg

Jarre (une) : unité de mesure des Premiers Temps qui équivaut à 4 litres

Judogi (un) : kimono du judoka

Katana (un) : sabre des samouraïs

Névasse (la) : neige fondue sale

Nodule polymétallique (un) : concrétion de roches reposant au fond des océans et constituée de divers métaux, par exemple du fer, du cuivre, du nickel, etc.

Pain de singe (un) : fruit du baobab

Parhélie (un) : phénomène optique, faux soleil, dû à l'interaction entre le rayonnement solaire et des cristaux de glace

Resplendissants (les) : les étoiles, les astres, les planètes

Sept Épouvantes (les) : les pouvoirs d'Humbaba

Simiesque (adj.) : qui ressemble à un singe

Tabulaire (adj.) : en forme de table

Veilleurs (les) : les gardes aryas et géants, surveillants des frontières

Zoomorphe (adj.) : en forme d'animaux

LES PERSONNAGES

Les humains

Alixe (16 ans) : elle aimerait travailler en solidarité internationale.

Arnaud (44 ans) : il est professeur d'histoire à l'université.

Mathilde (42 ans) : elle travaille en financement des entreprises dans une banque.

Mattéo (13 ans) : il aimerait devenir animateur 3D et il pratique le judo.

Les Aryas (les Savants)

Agni : le grand prêtre

Emrys : l'un des Gardiens des secrets de la vie
Indra : le roi
Samyou : le responsable de la prospérité
Vijay : le général

Les Dâsas (les Ténébreux)
    Ahi (20 ans)
    Max Ankel (14 ans)
    Nisha (22 ans)
    Nyctalopes (les) : forment une caste au sein des Dâsas et peuvent voir dans le noir
    Vitra (30 ans) : chef du groupe lancé aux trousses d'Emrys

Les Géants (Namlù'u, Anakim et Enfants de Mimas)
    Anak : le surveillant des terres du sud de la Laurasia, chef des Anakim
    Antée : le roi
    Hobab : le guide
    Lahmi : un chasseur-guerrier, de la caste des Enfants de Mimas
    Mimas : le chef des chasseurs-guerriers, de la caste des Enfants de Mimas
    Og : le surveillant des volcans
    Sikhon : le frère aîné d'Og, le surveillant des étoiles

Sippai : un chasseur-guerrier, de la caste des Enfants de Mimas
Skoll : le bâtisseur de La Colline
Talmaï : le surveillant des océans

Les Homins

Humbaba : le gardien de la Forêt sacrée des Cèdres

LES LIEUX

Agartha : le refuge secret souterrain des Aryas
La Colline : la nouvelle capitale de la Laurasia
La Forêt sacrée des Cèdres : le lieu où vivent les Homins
Le Gondwana : le continent habité par les Aryas
Khass : un poste avancé du Gondwana
La Laurasia : le continent habité par les Géants
Thulé : l'ancienne capitale des Géants du nord de la Laurasia

LES SEPT ÉPOUVANTES D'HUMBABA

1. un vent violent
2. un cri mortel
3. des sensations de démangeaison
4. une haleine fétide foudroyante